# LE MIROIR DU DESTIN

# MERLIN

## LE MIROIR DU DESTIN

### ∽ T. A. BARRON ∽

Traduit de l'anglais
par Agnès Piganiol

A·D·A
éditions

Copyright © 1999 Thomas A. Barron
Titre original anglais : Merlin: The Mirror of Merlin
Copyright © 2014 Éditions AdA Inc. pour la traduction française
Cette publication est publiée en accord avec Penguin Group, New York, NY

Éditeur : François Doucet
Traduction : Agnès Piganiol
Révision linguistique : Katherine Lacombe
Correction d'épreuves : Nancy Coulombe
Conception de la couverture : Matthieu Fortin
Photo de la couverture : © 2011 Larry Rostant
Conception de la carte : © 1996, 1999 Ian Schoenherr
Mise en pages : Sébastien Michaud
ISBN papier 978-2-89733-511-3
ISBN PDF numérique 978-2-89733-512-0
ISBN ePub 978-2-89733-513-7
Première impression : 2014
Dépôt légal : 2014
Bibliothèque et Archives nationales du Québec
Bibliothèque Nationale du Canada

**Éditions AdA Inc.**
1385, boul. Lionel-Boulet
Varennes, Québec, Canada, J3X 1P7
Téléphone : 450-929-0296
Télécopieur : 450-929-0220
**www.ada-inc.com**
**info@ada-inc.com**

**Diffusion**
Canada :        Éditions AdA Inc.
France :        D.G. Diffusion
                Z.I. des Bogues
                31750 Escalquens — France
                Téléphone : 05.61.00.09.99
Suisse :        Transat — 23.42.77.40
Belgique :      D.G. Diffusion — 05.61.00.09.99

**Imprimé au Canada**

Participation de la SODEC.

Nous reconnaissons l'aide financière du gouvernement du Canada par l'entremise du Fonds du livre du Canada
(FLC) pour nos activités d'édition.
Gouvernement du Québec — Programme de crédit d'impôt pour l'édition de livres — Gestion SODEC.

**Catalogage avant publication de Bibliothèque et Archives nationales du Québec et Bibliothèque et Archives
Canada**

Barron, T. A

    [Mirror of Merlin. Français]
    Le miroir du destin
    (Merlin ; tome 4)
    Traduction de : The Mirror of Merlin.
    Pour les jeunes de 10 ans et plus.
    ISBN  978-2-89733-511-3

1. Merlin (Personnage légendaire) - Romans, nouvelles, etc. pour la jeunesse. I. Piganiol, Agnès. II. Titre.
III. Titre : Mirror of Merlin. Français. IV. Collection : Barron, T. A. Merlin ; tome 4.

PZ23.B3748Mi 2014               j813'.54               C2014-940108-6

*Ce livre est dédié à M. Jerry Weiss,*
*ami dévoué des étudiants,*
*des enseignants et des enchanteurs.*

∞

*Avec une pensée particulière*
*pour Jennifer Herron.*

O — E
S

TERRE

LES

ruines de Varigal

géants ?

Lac de la Face

les derniers nains ont été vus ici

les pierres vivantes

tombe de Tuatha

gué

grotte de cristal de la Grande Élusa

vergers

LES COLLINES EMBRUMÉES

sorbier des artisans

Arbassa, maison de Rhia

LA DRUMA

Rivière Perpétuelle

l'Île oubliée

le dernier shomorra

les sylvains ont vécu ici

Fléau rencontré ici

Rivage des Coquillages parlants

dunes

naufrage d'Emrys

I. SCHOENHERR MCMXCVI

ici vit un peuple étrange

ÎLE LÉGENDAIRE

...ERDUES

DE

FINCAYRA

Puits de l'Autre-Monde

Slantos

cavernes

le château des Ténèbres

la prophétie de la Danse des géants a été faite ici

LES GORGES DES AIGLES

LES PLAINES ROUILLÉES

ruines

campement de gobelins

demeure de Cairpré

LES COLLINES OBSCURES

la Brèche

trésors ?

cité des ...ardes

T'eilean et Garlatha

LES MARAIS HANTÉS

repaire de Domnu le Galator est peut-être là

ruines

rideau de brume qui entoure l'île

CARTE DES MARAIS HANTÉS

*Vers LES GORGES DES AIGLES*

*Vers LES COLLINES OBSCURES*

gare à la sorcière

les Brumes du Temps se cachent dans le Miroir

l'Arbre-Flammes

repaire de Domnu

*Vers LES PLAINES ROUILLÉES*

Route des géants

cachette d'Antor

quel jies ?

tunnel d'épines

scarabées mortels

village

goules des marais ?

grotte du ballymag

*Vers la région des FALAISES FUMANTES*

la Forêt malade

*Écoute bien les avertissements des arbres*

# TABLE DES MATIÈRES

## TROISIÈME PARTIE

⁏⁊

# NOTE DE L'AUTEUR

Aujourd'hui comme hier, et tout au long de sa vie, Merlin ne cesse de nous surprendre.

C'est vrai dans les premiers récits chantés par les bardes gallois il y a quinze siècles, et ça l'est encore de nos jours. C'est vrai s'agissant du Merlin légendaire, mentor du roi Arthur, enchanteur de la Table ronde et figure importante dans l'extraordinaire tragédie de Camelot. Et ça l'est tout autant du jeune Merlin, en quête de son nom, de son identité et de sa destinée.

Cette faculté qu'il a de surprendre résulte peut-être de sa profondeur et de sa complexité. (D'ailleurs, je m'étonne toujours, en tant qu'un des derniers chroniqueurs, après tant d'autres, de cette figure mythique, que son caractère reste si peu exploré.) Peut-être est-ce l'effet des pouvoirs puissants qui commencent à se manifester en lui durant sa jeunesse. Ou de l'avenir mystérieux, à la fois attirant et terrifiant, qui l'attend.

À moins que cela soit tout simplement lié à son humanité. Dans ce tome, le quatrième de la série, les surprises viennent moins de ses dons que de ses faiblesses essentiellement humaines, car malgré ses pouvoirs croissants et ses passions émergentes, il reste un homme mortel.

Certes, il a parcouru bien du chemin depuis le jour où débuta sa saga de ses années perdues. Ce jour-là, un jeune garçon à demi noyé a échoué sur une côte inconnue. Depuis lors, à peine revenu à lui, il a été pourchassé par la mort et s'est aperçu qu'il n'avait aucun souvenir, ni de son enfance, ni de ses parents, ni même de son nom. Ce jour fut, dit-il en ses propres mots, « un jour rude, froid, et sans vie, aussi vide de promesses que mes poumons le sont d'air ».

Bien qu'il ait survécu à ces premières épreuves, la partie la plus ardue de son voyage ne faisait que commencer. Depuis, il a percé certains secrets de Fincayra, une île mystérieuse encerclée par un rideau de brume, située entre la Terre des mortels et l'Autre Monde. Il a également beaucoup appris sur son passé, moins sur son identité. Il a retrouvé ses parents, découvert la vérité sur sa naissance et s'est fait quelques amis — il en a aussi perdu certains.

Merlin a réussi sur d'autres fronts : il a guéri un dragon blessé, couru comme un cerf, déclenché la Danse des géants, découvert une nouvelle façon de voir et résolu l'énigme des Sept Chants ; il a entendu les murmures d'un vieux coquillage, absorbé l'esprit de sa sœur qu'il a emmenée dans l'Autre Monde; il est sorti indemne des entrailles d'une pierre vivante, a triomphé de créatures dévoreuses de magie et réussi l'épreuve de la légendaire Roue de Wye; après avoir construit son propre instrument de musique, il a compris que la musique elle-même vient moins des cordes que des doigts qui les pincent.

Mais l'avenir lui réserve de plus grandes épreuves encore. D'une façon ou d'une autre, il doit comprendre la profondeur de sa propre humanité : sa capacité à vaincre et aussi à affronter la tragédie.

Autrement, comment pourra-t-il devenir ce mentor du roi Arthur que nous connaissons si bien? Pour jouer son rôle dans le cycle arthurien et bien au-delà, Merlin doit avoir une profonde connaissance de la nature humaine, de ses plus hautes aspirations et de ses plus grandes faiblesses. Il doit comprendre que les meilleures intentions ne sont pas toujours pures, que le salut n'est pas toujours là où on croit.

Bref, il doit se connaître lui-même. Mais comment et où trouver le miroir le plus fidèle? Peut-être que ses images se situent dans plusieurs endroits, même sous une forme cachée. Et, qu'elles soient sombres ou lumineuses, peut-être réservent-elles aussi des surprises.

C'est seulement quand Merlin se verra avec une clarté parfaite qu'il pourra espérer guider un jeune monarque idéaliste, l'aider à créer un nouvel ordre social avec la Table ronde en son centre — même si cet ordre est condamné à échouer en son temps — et à trouver l'espoir malgré tout. Et peut-être à essayer de nouveau.

Si Merlin continue à me surprendre à mesure qu'il se révèle, je continue pour ma part à apprécier au plus haut point les conseils et les encouragements de mon fidèle entourage. Comme d'habitude, mon épouse, Currie, et mon éditrice, Patricia Lee Gauch, méritent mes remerciements chaleureux. Je dois beaucoup aussi à Kylene Beers dont la sagesse et l'indéfectible confiance me sont si précieuses et à Kristi Dight qui m'a encouragé pour l'histoire de la brume qui murmurait — racontée par Hallia à ses compagnons au cours d'une sombre nuit dans les marais. Un grand merci également à Deborah Connell, Kathy Montgomery, Suzanne Ghiglia... et, bien sûr, à l'insaisissable enchanteur.

T. A. B.

*Dans les rêves confus et les vagues souvenirs*
*De villes fabuleuses, je me suis réfugié en hâte...*
*Dans une splendeur diaphane, j'ai franchi les mers*
*Et me suis drapé dans une élégance légendaire.*

Extrait de *La Chanson de Dyfyddiaeth*, vi^e siècle.

*Le monde où sont nées les légendes*
*S'étend dans les brumes astrales...*

W. B. Yeats

# PROLOGUE

*Nombreux sont les miroirs que j'ai scrutés, et nombreux les visages que j'y ai vus. Mais, malgré toutes ces années — que dis-je, tous ces siècles —, il y en a un, avec un visage, que je ne peux pas oublier. Il m'a hanté dès le début, dès ce tout premier instant. Et il me hante toujours autant aujourd'hui.*

*Les miroirs, croyez-moi, peuvent causer plus de mal que les épées et plus de frayeur que les goules.*

La brume tourbillonnait, dessinant des volutes sous la voûte de pierre. On aurait dit un œil à l'affût.

Elle ne montait ni du sol ni d'une mare voisine, mais se formait directement sous l'arche, derrière l'étrange rideau qui la retenait, telle une digue retenant une marée. Un rideau frémissant d'où s'échappaient parfois quelques vapeurs qui venaient lécher les plantes à feuilles pourpres autour des piliers. Mais plus souvent, comme c'était le cas en ce moment, les vapeurs roulaient sous la voûte, faisant apparaître ou disparaître des formes toutes aussi différentes l'une de l'autre dans un mouvement tout aussi pareil à lui-même

Soudain, le rideau s'est tendu. Sur sa surface, devenue lisse, des rayons lumineux ont fait apparaître comme des éclats de verre où se reflétaient de vagues silhouettes des marais environnants. Quelque part derrière ces reflets, des nuages continuaient à tourbillonner, entremêlés d'ombres mouvantes. Et, tout au fond, brillait une mystérieuse lueur.

Brusquement, au centre de ce miroir — car ce rideau était bien un miroir —, un nuage de vapeur a jailli, suivi de quelque chose de fin, de mobile, de vivant, qui ressemblait fort à une main.

Les doigts aux ongles longs, plus pointus que des griffes, se sont allongés, ont tâtonné : trois d'abord, puis quatre, puis un pouce. De minces filets de brume venus des marais s'enroulaient autour, les ornant de délicats anneaux. Mais les doigts s'en sont libérés avant de se replier.

Le poing ainsi formé est resté serré un long moment, comme pour éprouver sa propre réalité. La peau, aussi pâle que la brume, est devenue plus blanche encore, tandis que les ongles s'enfonçaient dans la chair et que le poing, crispé, se mettait à trembler.

Très lentement, la main s'est relâchée, les doigts se sont dépliés. Des fils de brume se sont accrochés au pouce et étirés en travers de la paume. En même temps, le miroir s'est obscurci : du pourtour de pierres en ruine, des ombres profondes ont gagné peu à peu toute la surface. En quelques instants, celle-ci n'était plus qu'une plaque lisse et brillante comme du cristal noir, sur laquelle se détachait la main pâle qui se tortillait.

Un craquement soudain a fendu l'air. Venait-il du miroir, des pierres ou d'ailleurs ? Un étrange parfum de rose, d'une douceur extrême, s'est aussitôt répandu alentour.

Puis un vent s'est levé, a balayé le bruit et le parfum, et les a emportés vers les Marais hantés. Personne n'a remarqué ce qui s'était passé, pas même les goules. Et personne n'a vu non plus la suite.

La main, doigts tendus, s'est avancée, suivie du poignet, de l'avant-bras et du coude. Tout à coup, la surface brillante a volé en éclats et repris son aspect initial.

Du miroir de brume est sortie une femme. Elle a posé ses pieds bottés sur le sol boueux, défroissé sa robe blanche et son châle parsemé de fils d'argent. Elle était grande, mince, et ses yeux étaient aussi ternes que l'intérieur d'une pierre. Elle a jeté un regard en arrière vers le miroir avec un sourire amer.

Puis, secouant sa chevelure noire, elle s'est tournée vers le marais, a longuement écouté les plaintes et les sifflements et, après un grognement de satisfaction, elle a murmuré tout bas :

— Cette fois, Merlin, tu ne m'échapperas pas.

Sur ce, elle s'est enveloppée dans son châle et, s'éloignant à grands pas, elle a disparu dans l'obscurité.

# PREMIÈRE PARTIE

# ∾ I ∾

# OMBRES

J'avais beau m'évertuer à essayer de la faire bouger, mon ombre résistait à toutes mes injonctions.

Alors, pour mieux me concentrer, j'ai fermé les yeux — un réflexe absurde, d'ailleurs, puisqu'ils étaient aveugles et que, depuis plus de trois ans, j'utilisais mon don de seconde vue. J'ai essayé de ne rien percevoir d'autre que mon ombre. C'était difficile, par une belle journée d'été comme celle-ci, mais quand même moins que de dompter cette maudite ombre.

J'ai donc oublié le bruissement de l'herbe dans le pré alpin, le bruit du cours d'eau, les odeurs de menthe, de lavande, de trèfle d'eau, si fortes qu'elles me faisaient presque éternuer ; oublié le rocher couvert de lichen jaune en dessous de moi, les montagnes de Varigal au-dessus, et leurs cimes enneigées ; oublié aussi mon ami Shim, le géant, qui habitait si près et que j'aurais tant aimé revoir. Enfin — et c'était le plus difficile —, j'ai chassé de mon esprit toute pensée concernant Hallia.

Seule comptait mon ombre.

J'en ai suivi les contours sur l'herbe. En partant du bas, j'ai reconnu mes bottes, dont les attaches de cuir pendaient sur les côtés, plantées fermement au sommet du rocher, puis mes jambes, mes hanches et mon torse. Il paraissait moins maigre que d'habitude à cause de l'ampleur de ma tunique. Ma sacoche se profilait d'un côté et mon épée, de l'autre. Ensuite venaient mes bras pliés, mains sur les hanches et ma tête tournée de côté, avec l'extrémité de mon nez, qui ressemblait, à mon désaroi, de plus en plus à un bec et me rappelait le faucon à qui je devais mon nom. J'ai terminé par mes cheveux, encore plus noirs que mon ombre dans la réalité et, hélas, aussi indisciplinés qu'elle.

*Bouge*, ai-je ordonné en silence, sans esquisser le moindre mouvement.

Aucune réaction.

J'ai concentré mon attention sur le bras droit de l'ombre.

*Lève-toi*.

Toujours pas de réaction.

J'ai poussé un grognement. J'avais déjà passé la matinée à tenter de la convaincre de bouger toute seule. Le travail sur les ombres était peut-être réservé aux enchanteurs chevronnés, aux véritables mages, mais je n'étais pas quelqu'un de très patient.

J'ai inspiré lentement, profondément.

*Lève-toi. Lève-toi, je te dis.*

Exaspéré, j'ai fixé la silhouette un long moment. Enfin, quelque chose a changé. Les contours ont commencé à frémir. La ligne des épaules est devenue floue et les bras se sont mis à trembler si fort qu'ils semblaient augmenter de volume.

*C'est mieux. Beaucoup mieux.*

Je me suis efforcé de rester immobile, n'osant même pas essuyer les gouttes de sueur qui coulaient sur mes tempes.

*Maintenant, le bras droit. Lève-toi.*

Celui-ci s'est brusquement allongé et s'est levé au-dessus de la tête. Toujours immobile, j'ai senti un frisson me parcourir, causé par à la fois par l'excitation de la découverte et par la fierté que me procuraient mes nouveaux pouvoirs. J'avais enfin réussi à faire bouger mon ombre ! Il me tardait de le montrer à Hallia.

Je me sentais prêt à voler, tant j'étais heureux, mais je n'ai pas changé de position. J'ai souri, c'est tout. Concentré sur mon ombre dont le bras était toujours levé, je savourais mon succès. Dire que moi, Merlin, à peine âgé de quinze ans, je pouvais lui faire bouger le bras !

Soudain, j'ai vu mon erreur : c'était le bras droit qui aurait dû bouger, pas le gauche ! Furieux contre l'ombre rebelle, je l'ai menacée du poing. L'ombre en a fait autant.

— Idiote ! Je vais t'apprendre à obéir !

— Quand donc ? a répondu une voix derrière moi.

Je me suis retourné. C'était Hallia. Elle s'est approchée de son pas léger de biche. Elle semblait encore plus leste que l'herbe en été. Malgré cela, je savais que même sous sa forme de jeune femme humaine, elle restait toujours à l'affut du moindre danger, prête à se transformer en biche pour s'enfuir. Sa tresse auburn brillait au soleil. Elle m'observait d'un œil amusé.

— L'obéissance n'est pas ton fort, si je me souviens bien !

— Il ne s'agit pas de moi, mais de mon ombre.

Une étincelle malicieuse a brillé dans ses yeux bruns.

— Là où bondit le cerf, son ombre s'élance elle aussi.

Je me suis senti rougir.

— Mais... mais je... ai-je balbutié. Pourquoi faut-il que tu arrives juste au moment où rien ne marche ?

Elle s'est frotté le menton pour y réfléchir.

— Si je ne te connaissais pas si bien, j'aurais pu croire que tu cherchais à m'impressionner.

— Pas du tout. J'essaie seulement de faire obéir cette maudite ombre!

J'ai serré mes poings, puis j'en ai menacé mon ombre. La voir me renvoyer ce même poing m'irrita encore plus.

Hallia s'est penchée pour étudier de plus près une fleur de lupin, d'un violet aussi profond que sa robe.

— Et, moi, je veux juste t'apprendre un peu l'humilité, dit-elle, puis elle renifla la grappe de fleurs. D'habitude, c'est Rhia qui s'en charge, mais puisqu'elle est partie apprendre le langage des grands aigles des Gorges...

— Avec mon cheval, ai-je grommelé.

J'ai essayé de bouger mes épaules tendues.

— C'est vrai, elle ne peut pas courir comme un cerf, a rappelé Hallia en souriant.

Quelque chose dans ses paroles, son ton, son sourire, a chassé ma colère comme le soleil du matin dissipe la brume. Mes épaules se sont relâchées. Je me suis rappelé alors tout ce que j'avais découvert quand je m'étais transformé en cerf : la joie de courir à ses côtés avec des sabots à la place des pieds et quatre pattes au lieu de deux jambes; avec une vue perçante, un odorat exceptionnel et la capacité de percevoir les sons non seulement par les oreilles, mais aussi à travers les os. Tout cela, je ne l'oublierais jamais.

— C'est, euh, enfin... c'est bien d'être ici, ai-je balbutié. Avec toi, je veux dire... juste toi.

Ses yeux de biche, soudain timides, se sont détournés.

Enhardi, je suis descendu de mon rocher.

— Même en voyageant ensemble, ai-je enchaîné, nous n'avons pas souvent été seuls, ces derniers temps. Il y avait toujours quelqu'un avec toi, un vieil ami ou...

J'ai voulu lui prendre la main, mais elle l'a retirée.

— Tu n'as pas aimé ce que je t'ai montré ? a-t-elle rétorqué.

— Non... enfin si. Ce n'est pas ce que j'ai voulu dire. Tu sais comme j'étais content de voir les terres de ton peuple : ces belles prairies, ces pistes cachées entre les arbres. C'est juste que... enfin, la meilleure partie était...

— Oui ? a-t-elle fait en m'observant, la tête penchée.

Nos regards se sont croisés un court instant, mais cela a suffi pour me faire oublier ce que je voulais dire.

— Oui ? a-t-elle insisté. Je t'écoute, jeune faucon.

— C'était... enfin, oh, et puis je ne sais plus ! ai-je dit, puis j'ai froncé les sourcils. Parfois, j'envie Cairpré qui pond des poèmes quand ça lui chante.

Elle m'a fait un demi-sourire.

— Ces temps-ci, ce sont généralement des poèmes d'amour pour ta mère.

— Je ne pensais pas à ça ! me suis-je exclamé, de plus en plus troublé.

À son air déconfit, j'ai compris la maladresse de ma phrase.

— Enfin... quand j'ai dit ça, ce que je voulais dire, c'était... enfin, ce n'était pas ça...

Elle a seulement secoué la tête.

Encore une fois, j'ai approché ma main de la sienne.

— S'il te plaît, Hallia, ai-je supplié. Ne me juge pas à mes paroles.

— Alors, à quoi dois-je te juger ?

— À autre chose.

— Par exemple ?

Saisi d'une soudaine inspiration, je l'ai prise par la main et entraînée à travers la prairie. Nous avons couru ensemble au même rythme. Tandis que nous approchions du cours d'eau, nos dos se sont abaissés, nos cous se sont allongés, nos bras se sont étirés jusqu'au sol. Les roseaux luisants de rosée se sont penchés devant nous. D'un seul et même élan, nous avons bondi par-dessus la rivière et atterri sur l'autre rive, transformés en cerfs.

Je me suis retourné et, dressé sur mes pattes arrière, j'ai respiré à pleins poumons, me remplissant les narines des mille parfums de la prairie, avec un extraordinaire sentiment de liberté. Hallia s'est glissée à côté de moi, sa patte avant contre la mienne ; en retour, j'ai caressé sa gracieuse encolure avec mes bois. Puis nous sommes repartis en caracolant. Combien de temps avons-nous passé ainsi à nous ébattre au milieu des herbes en écoutant les murmures des roseaux ? Je ne saurais le dire. C'était tout simplement magique.

Lorsque enfin nous nous sommes arrêtés, nos pelages bruns étaient brillants de sueur. Nous avons brouté un moment le long des rives avant de nous avancer dans le lit du cours d'eau. Puis, peu à peu, en remontant le courant, nous avons repris forme humaine, moi, chaussé de mes bottes, et Hallia, pieds nus.

En silence, nous avons regagné la rive et traversé les ajoncs. Arrivés près du rocher, théâtre de mes tentatives infructueuses pour faire bouger mon ombre, Hallia s'est tournée vers moi, ses yeux de biche toujours brillants.

— J'ai quelque chose à te dire, jeune faucon. Quelque chose d'important.

Mon cœur s'est mis à tambouriner dans ma poitrine.

— C'est... oh, j'ai du mal à m'exprimer, a-t-elle commencé, hésitante.

— Je te comprends, tu sais, l'ai-je aussitôt rassurée en lui effleurant le bras avec mon doigt. Plus tard, peut-être.

— Non, maintenant. Il y a longtemps que je veux te le dire. Et ce sentiment n'a fait que croître ces derniers temps.

— Ah, oui ? ai-je dit, le cœur battant. Qu'est-ce que c'est ?

Elle s'est approchée.

— Je voudrais que... que tu saches...

— Quoi donc ?

— Que je... non, que tu...

Tout à coup, quelque chose de lourd s'est jeté sur moi. Je suis tombé à la renverse et j'ai roulé sur l'herbe jusqu'au bord de l'eau. Je me suis vite dépêtré de ma tunique qui s'était enroulée autour de ma tête et de mes épaules, et j'ai bondi, l'épée au poing pour faire face à mon agresseur.

— Toi ici ? ai-je grogné. Oh, non, ce n'est vraiment pas le moment !

Celui que je m'apprêtais à attaquer était un jeune dragon aux écailles violettes et cramoisies. C'était Gwynnia, la fille de Valdearg que j'avais soignée. C'était elle qui venait d'atterrir près de nous. Elle a replié ses ailes encore frémissantes. Son énorme masse cachait le rocher et une bonne partie de la prairie. J'ai compris aussitôt pourquoi je venais de tomber dans la boue. Hallia, plus intuitive, s'était écartée à temps.

Gwynnia a pris une profonde respiration. Elle nous regardait, la tête basse — une tête presque aussi grosse que moi, avec une oreille dressée sur le côté comme une corne mal placée.

Me voyant fâché, Hallia s'en est approchée et, d'un geste protecteur, a posé la main sur cette oreille.

— Elle est désolée, tu ne vois pas ? Elle ne pensait pas à mal.

Le jeune dragon a plissé le museau et émis un gémissement rauque.

Hallia a fixé ses yeux orange et triangulaires.

— Elle vient juste d'apprendre à voler. Ses atterrissages sont encore un peu maladroits.

— Un peu maladroits ? ai-je protesté. Elle aurait pu me tuer !

J'ai ramassé mon bâton dans l'herbe et l'ai brandi devant le dragon.

— Tu ne vaux pas mieux qu'un géant soûl. Et lui, au moins, il finit par s'endormir pour cuver son vin. Toi, tu n'arrêtes pas de grossir et tu deviens de plus en plus maladroite.

Gwynnia a plissé les yeux. Du fond de sa poitrine est monté un grondement. Elle s'est soudain raidie et a penché la tête, comme intriguée par ce bruit. Puis elle a ouvert ses gigantesques mâchoires aux dents pointues et a bâillé longuement.

— Tu devrais déjà être content qu'elle n'ait pas encore appris à cracher du feu, m'a rappelé Hallia. Mais je suis sûre qu'elle ne le ferait jamais contre un ami. Hein, Gwynnia ? a-t-elle ajouté en lui grattant l'oreille.

Le dragon a répondu par un puissant grognement. Puis, de l'autre bout de la prairie, l'extrémité hérissée de sa queue s'est soulevée en se recourbant et, avec la grâce d'un papillon, la pointe violette s'est posée en douceur sur l'étoffe de la même couleur qui recouvrait l'épaule d'Hallia.

J'ai frotté ma tunique pour en retirer la boue.

— C'est difficile de rester longtemps fâché avec vous deux, ai-je soupiré. Pardonne-moi, veux-tu ? ai-je dit au dragon. J'ai oublié — juste un instant — que tu n'étais jamais loin d'Hallia.

La jeune femme s'est tournée vers moi.

— Moi aussi, je l'avais oublié, a-t-elle précisé avec douceur.

J'ai hoché la tête d'un air attristé.

— Ce n'est pas de ta faute.

— Oh, si, a-t-elle repris en caressant les écailles aux reflets dorés de la queue hérissée. Quand j'ai commencé à lui chanter le soir toutes ces chansons que j'avais apprises enfant, je ne pensais pas qu'elle s'attacherait autant à moi.

— Ni qu'elle grandirait autant.

Hallia esquissa presque un sourire.

— On n'aurait jamais dû laisser Cairpré lui donner un nom si lourd à porter, un nom traditionnel chez les dragons. Il fallait s'attendre à ce que, tôt ou tard, elle s'en montre digne.

— C'est vrai. C'était celui de la première reine des dragons, la mère de toute l'espèce, celle qui a risqué sa vie pour avaler le feu d'une grande montagne de lave afin qu'elle-même et tous ses descendants puissent un jour cracher des flammes.

À ces mots, Gwynnia a bâillé si fort que nous avons dû nous boucher les oreilles.

— On dirait que la reine a sommeil, ai-je fait observer. On pourra peut-être enfin terminer notre conversation, ai-je ajouté à voix basse.

Hallia a hoché la tête. Elle semblait mal à l'aise. Avant qu'elle ait pu prononcer un mot, l'air a résonné d'un son lugubre, comme la plainte d'un agonisant. Ou, plus précisément, la plainte de quelqu'un dont la mort serait un salut pour lui.

# II

# LE BALLYMAG

Les cris angoissés se prolongeaient. Ils semblaient monter de la rivière. J'ai attrapé mon bâton et filé dans cette direction, suivi d'Hallia. Le jeune dragon nous a regardés partir d'un œil ensommeillé, le museau enfoui au creux de son aile. Avant même d'avoir atteint la rive, j'ai compris que ces gémissements — si forts, à présent, qu'ils couvraient le tumulte des eaux — venaient d'un coude du torrent, en amont. Nous nous sommes précipités vers cet endroit et là, en écartant des ajoncs, nous avons découvert un étrange animal qui cherchait désespérément à se hisser sur la rive.

Il avait un corps à la peau noire et lisse, aux formes arrondies, comme les phoques de la côte ouest de Fincayra, mais en plus petit. Comme eux, il possédait de longues moustaches et des yeux profonds et tristes. Mais, à la place des nageoires, il disposait de six bras maigres armés de pinces comme celles des crabes. De son ventre rebondi pendait une sorte de filet verdâtre — une poche, peut-être — tandis que son dos était orné d'une rangée de queues longues et fines enroulées en spirales.

Sur son flanc droit maculé de boue, j'ai remarqué une vilaine coupure. Alors qu'il s'affalait sur la rive et gémissait pitoyablement, je me suis agenouillé près de lui et, l'aspergeant d'eau, j'ai entrepris de nettoyer la plaie. D'abord, la pauvre bête, toute à sa souffrance, n'a pas fait attention à moi. Puis, soudain, prise d'un violent tremblement, elle s'est mise à brailler :

— Oh! Terribuleuse souffremort! Horribuleuse plaissanglante! Mourir si tôt, si tôt... et moi si petijeunet, presque un bébé.

— Ne t'inquiète pas, l'ai-je rassurée tout en espérant que mon dialecte lui paraisse moins étrange que le sien. Je sais que tu as mal, mais la coupure n'est pas très profonde. J'ai ici des herbes pour te soigner. Tiens, regarde.

J'ai ouvert ma sacoche pour les lui montrer.

— Oui, bien sûr, s'est écrié l'animal, pour me courbouillonner! Pôvredemoi! Trépafatal, terrible finfinale! Après tant d'épuisetouflants efforts, finir enfricassé par un monstrumain...

Tout son corps tremblait, en particulier les épais bourrelets de graisse sous son menton. J'ai secoué la tête.

— Tu ne comprends pas. Essaie de te détendre, ai-je dit en humectant les herbes pour faire un cataplasme. Ça te permettra de guérir plus vite.

L'animal a crié et tenté de se dégager.

— Monstrumain ! Tu veux me dévorer et t'empigoinfrer. Oh, malheuraffreux ! Ma souffre-mort si proche, ma...

— Mais non, voyons. Calme-toi, je te dis.

— Alors, tu vas m'enfercager, m'exhibitionner comme une bête de foire ! D'autres monstrumains jetteront des pierres sur ma cage, me pincepiqueront à travers les barreaux. Terribuleux destin, horribuleuse finfinale...

— Mais non ! Je suis là pour t'aider, tu ne comprends donc pas ?

La créature s'agitait tellement que j'avais beaucoup de mal à faire pénétrer le cataplasme. Plus d'une fois, j'ai cru qu'elle allait me glisser des mains et tomber dans l'eau ou dans les ajoncs.

— M'aider ? As-tu déjà vu un monstrumain secourister un ballymag ?

— Tu es un ballymag ? a dit Hallia. Ma foi, c'est possible.

Puis, quand elle a vu mon regard interrogateur, elle a expliqué :

— Ce genre de créature est très rare sur l'île. J'en avais entendu parler, mais c'est vrai que ça y ressemble. Qu'est-ce qu'il fait ici ? Je croyais que les ballymags vivaient au fin fond des marais.

— Oui, dans les Marais hantés, a geint l'animal. Informationnez-vous avant de m'enfercager, de me tabastonner, de me courbouillonner avec des vieilles patates. Oh, monde de misère, afflictionnante détresse !

Tout en secouant la tête, j'ai examiné la plaie à nouveau.

— La confiance règne, à ce que je vois...

— Oui, certainieusement, a braillé la créature avec des yeux larmoyants. Je suis né comme ça, c'est ma nature naturelle. Trop confiant, trop crédicule, toujours prêt à croire aux miracles miraculeux. Et voilà à quel triste sort j'en suis réductionné : mourir de frire avec de vieilles patates ! Un sale coup... Bon, allez-y, assassaisonnez-moi, a-t-il soupiré, résigné. Je mourirai digneusement.

Il s'est tu deux secondes, puis, soudain, il s'est mis à hurler :

— Oh, mais quel affreux gâchpillage ! Être courbouillonné maintenant ! À la fleur de l'âge. Si fortcourageux. Si...

— Silence ! ai-je ordonné, en m'asseyant sur le talus. Plus tu crieras fort, ai-je repris d'un air menaçant, plus terrible sera ta mort.

Hallia m'a regardé, surprise, mais j'ai fait comme si je n'avais rien vu.

— Oui, oui, ai-je continué d'un ton assassin. La seule question est *comment* te tuer. Mais ce qui est sûr, c'est que plus tu t'agiteras, plus ce sera douloureux.

— Vraivraiment ? a gémi le ballymag.

— Vraiment ! Alors, arrête de te plaindre.

— Oh, horribuleuse...

— Tout de suite !

Le ballymag s'est tu. À part un tremblement de temps à autre qui le secouait légèrement du haut de la gorge jusqu'au bas du ventre, il est resté tout à fait immobile sur mes genoux.

J'ai posé doucement mes mains sur sa blessure et je me suis concentré sur les couches profondes de la chair, là où les tissus étaient les plus abîmés. En inspirant, j'ai imaginé que mes poumons se remplissaient de lumière, de cette lumière chaude et apaisante du soleil d'été qui inondait le pays des hommes-cerfs. Petit à petit, elle s'est infiltrée dans tout mon corps, dans mes épaules, le long de mes bras, jusqu'au bout de mes doigts.

Tandis qu'elle se déversait dans la blessure, le corps du ballymag et même ses moustaches ont commencé à se détendre. Puis il s'est remis à gémir, moins de douleur, cette fois, semblait-il, que de surprise — et peut-être même de plaisir.

Mais pour avoir la paix, vu la tâche délicate qui m'attendait, je l'ai fusillé du regard. Il s'est tu instantanément.

J'ai dirigé la lumière à l'intérieur de la chair abîmée. À la façon d'un barde remplaçant les cordes de sa harpe, j'ai traité les tissus l'un après l'autre, les nouant et retendant avec soin, vérifiant la solidité de chacun avant de passer au suivant. À un endroit, j'ai trouvé un enchevêtrement de tendons déchirés, coupés presque jusqu'à l'os. Je les ai baignés de lumière, le temps de les séparer les uns des autres. Ensuite, je les ai dénoués et j'ai rattaché les tissus, qui retrouvaient peu à peu leur intégrité et leur force. Couche après couche, je suis remonté ainsi jusqu'à la surface.

L'opération enfin terminée, j'ai contemplé mon œuvre : la peau noire du ballymag était redevenue lisse et brillante. Épuisé, je me suis adossé au talus en posant ma tête sur la racine d'un ajonc. Le ciel bleu brillait à travers les fleurs jaunes au-dessus de moi.

Au bout d'un moment, je me suis redressé et j'ai donné une petite tape sur le flanc de mon patient.

— Eh bien, tu as de la chance, ai-je annoncé. J'ai décidé de ne pas te faire cuire, finalement.

Il m'a regardé avec des yeux exorbités, sans rien dire.

— Je n'ai jamais eu l'intention de te faire du mal, mais je n'ai rien trouvé d'autre pour que tu te tiennes tranquille.

— Tu t'esquimoques de moi, a-t-il grogné en se tortillant sur mes genoux.

— Il ne te croit pas, a dit Hallia. Pour le moment. Mais dans quelque temps, il comprendra.

— Aucune malchance que ça arrive ! a lancé le ballymag.

Là-dessus, il a déroulé plusieurs queues et, les accrochant à un rocher qui dépassait du talus, il s'est arraché de mes mains et a plongé dans l'eau. Ses six bras sont aussitôt entrés en action et il a filé dans le courant à une vitesse stupéfiante. En un clin d'œil, il avait pris le tournant et disparu.

Hallia s'est frotté le menton.

— On dirait que tu as fait du bon travail, jeune faucon.

— Voilà au moins une chose que j'aurai réussie.

Je repensais à mon ombre, qui continuait de me narguer. Hallia a évité une branche et est venue s'asseoir près de moi, aussi gracieuse qu'une fleur qui s'ouvre.

— Le don de guérir est différent des autres formes de magie, a-t-elle repris d'un air songeur.

— Comment ça ?

Elle a joué avec une tige avant de la lancer dans le courant.

— Je ne sais pas trop pourquoi. Mais la magie qui guérit semble venir plutôt de l'intérieur... Du cœur, peut-être, ou d'un lieu encore plus secret.

— Et les autres formes de magie ?

— De quelque part en dehors de nous. Quelque part là-haut, a-t-elle ajouté en montrant le ciel. Ces pouvoirs nous atteignent et nous traversent parfois, mais ils ne nous appartiennent pas. On les utilise comme on se servirait d'un outil, un marteau ou une scie, par exemple.

J'ai retiré une petite motte de boue de mes cheveux.

— Je comprends, mais le pouvoir qui nous permet de nous changer en animal ne vient-il pas aussi de l'intérieur ?

— Non, pas vraiment.

Pensive, elle a serré sa main pour lui donner la forme d'un sabot, puis a ajouté :

— Au moment où je décide de me métamorphoser en biche, je perçois la magie en moi, mais seulement comme une étincelle qui me met en contact avec des forces extérieures plus puissantes : les forces du changement sous toutes ses formes, celles qui transforment la nuit en jour, le faon en biche, la graine en fleur. Cette magie qui fait renaître chaque prairie après un long hiver sous la neige.

Elle s'est interrompue pour caresser une fougère. J'ai hoché la tête, attentif au bruit du torrent. Un serpent vert est sorti des roseaux à mes pieds et a filé dans l'eau.

— Je les sens, parfois, ces forces venues d'ailleurs, ai-je dit. Ces forces cosmiques. J'ai même l'impression d'en être le jouet, ou d'être une histoire écrite par elles dont je ne peux pas modifier la fin.

Hallia s'est penchée vers moi.

— C'est à cause de tout ce qu'on raconte, n'est-ce pas ? a-t-elle ajouté en appuyant son épaule contre la mienne. Je sais, jeune faucon, j'ai entendu des choses, même de la part de cerfs de mon clan qui auraient dû se taire. Je sais des choses sur ton avenir et ton destin d'enchanteur.

— Et pas n'importe quel enchanteur. Il paraît que je serai le plus grand de tous les temps ! Plus grand encore que mon grand-père, Tuatha, qui était le mage le plus sage et le plus puissant. C'est très lourd à porter. Il y a même des moments où il me semble que mes choix, mes décisions, ne m'appartiennent plus du tout.

— Mais si, ils t'appartiennent! Bien sûr! C'est ce qui fait que tu es *toi*. C'est pour ça que je voulais te dire...

Sa voix s'est changée en murmure.

– ... ce que je voulais te dire.

— Alors maintenant, tu peux me le dire?

— Non, a-t-elle répondu fermement. Écoute-moi. Crois-tu franchement que tu n'as pas plus d'influence sur ton avenir que le gland destiné à devenir un chêne? Ce gland qui ne pourrait en aucun cas devenir un frêne ou un érable?

Je me suis mis à frotter mon talon dans la bout.

— C'est ce que je pense, en effet, ai-je répondu d'un ton morne.

— Tu as quand même des pouvoirs en toi qui t'appartiennent en propre! Ce que je t'expliquais à propos des pouvoirs extérieurs est vrai, mais nous ne pourrions pas nous en servir si nous n'avions pas nos propres pouvoirs, ceux qui viennent de l'intérieur. Et toi, jeune faucon, tu as une capacité extraordinaire pour sentir ces pouvoirs qui nous dépassent. Pour les recevoir, les concentrer et les soumettre à ta volonté. Je le vois tout le temps chez toi, aussi clairement que le reflet d'un visage dans une flaque d'eau.

— Peut-être que le reflet que tu vois est le tien, pas le mien.

Elle a secoué si vigoureusement la tête que sa natte a frôlé mon oreille.

— Sans la magie que tu as en toi, tu n'aurais pas pu guérir le ballymag.

— Mais en le soignant, est-ce que j'utilisais vraiment mes propres pouvoirs ? Est-ce que j'obéissais à ma propre volonté ? Ou est-ce que je suivais simplement mon destin et jouais une scène d'une histoire écrite par quelqu'un d'autre il y a longtemps ? Cette épée aussi fait partie de mon destin, ai-je dit en tapotant la poignée argentée de mon arme. Le grand Dagda lui-même me l'a annoncé. Il m'a ordonné d'en prendre soin car, un jour, je la remettrai à un grand roi au destin tragique — un roi si fort qu'il la dégagera d'un fourreau de pierre.

Je me suis interrompu, essayant de me rappeler les mots exacts de Dagda : *Un roi dont le règne marquera les cœurs pendant longtemps.*

Hallia a haussé un sourcil.

— Un destin prédit n'est pas un destin vécu, a-t-elle déclaré.

— C'est encore un vieux proverbe de ton peuple ?

— Hum, pas si vieux. Mon père est le premier à l'avoir énoncé. Il réfléchissait beaucoup à ces choses. Un peu comme quelqu'un que je connais, a-t-elle ajouté, accompagnant ces mots d'une bourrade amicale qui m'a fait cogner une branche, et des feuilles en sont tombées.

J'ai souri. Mon regard s'est posé sur mon bâton, appuyé contre un rocher au bord du torrent. L'eau qui l'éclaboussait faisait briller les sept symboles gravés dans le bois.

— Plus je pense à ces choses, au destin et tout ça, moins j'en sais...

— C'est ce que répétait sans cesse mon père ! m'a-t-elle confié en riant.

Là, c'est moi qui lui ai donné un coup de coude.

— Que disait-il d'autre ?

— À propos du destin ?

Elle y a réfléchi un instant.

— Peu de choses. Sauf une qui m'a intriguée.

— Laquelle ?

— Il disait, si je me rappelle bien, que chercher à connaître son destin, c'est comme regarder dans un miroir. On voit une image à la lumière du moment, mais si la lumière change, cette image change elle aussi. C'est pourquoi, concluait-il, le miroir le plus fidèle est celui qui... Comment disait-il ça ? Ah, oui :

— Aucune lumière ? Qu'entendait-il par là ?

— Personne dans notre clan n'a jamais compris ce qu'il voulait dire. Quelques anciens, paraît-il, en ont discuté pendant des heures, sans résultat. Alors inutile de passer trop de temps sur le sujet. Ce n'était peut-être qu'une plaisanterie. Mon père savait beaucoup de choses, mais il aimait aussi jouer des tours aux autres.

J'ai hoché la tête, tout en m'interrogeant sur la curieuse phrase du père d'Hallia. Oui, il s'agissait peut-être d'une plaisanterie. Mais si c'était plus que cela ? De toute évidence, les anciens la prenait au sérieux, sinon ils n'auraient pas perdu leur temps à essayer de la comprendre. Un jour, peut-être, quelqu'un en trouverait la signification. Même moi, qui sait ? Cette idée me plaisait. Oui, peut-être était-ce moi, Merlin, qui, un jour, éclaircirait ce mystère et bien d'autres encore.

Un mouvement sur le talus a détourné mon attention : mon ombre avait bougé ! J'étais pourtant totalement immobile, et on aurait dit qu'elle secouait la tête. Était-ce seulement un effet des jeux de lumière sur l'eau ? J'ai concentré mon regard sur elle.

Non, elle bougeait bel et bien.

# III

## SECRETS

'insolente ne cessait de me narguer. J'ai grogné.

— Tu aurais mieux fait de rester là-bas près du rocher, ai-je lancé.

— Jeune faucon! a protesté Hallia en frappant la berge.

— Pas toi... Oh, pardon, me suis-je excusé, tendant la main vers elle.

Elle l'a repoussée d'un coup sec. J'ai jeté un regard noir sur mon ombre qui, elle, semblait se tordre de rire.

— Ce n'est pas à toi que je parlais, Hallia, mais à mon ombre!

Son expression s'est radoucie.

— Cette ombre t'agace autant que notre jeune femelle dragon, on dirait.

Elle a écarté des branches et jeté un coup d'œil sur la prairie où nous avions laissé Gwynnia.

— D'ailleurs, elle est repartie, à présent. Je me demande bien où elle est passée.

— Sûrement pas loin. Elle doit fourrager quelque part près du torrent, ai-je répondu en jetant un galet sur mon ombre — je m'attendais presque à ce qu'elle me le renvoie. Alors, dis-moi, comment ton père savait-il tout ça ? C'était donc un savant ? Un barde ?

— Ni l'un ni l'autre. Il a été longtemps le guérisseur de notre clan.

Elle a pris sa tresse et s'est mise à séparer les mèches, comme si elle tentait de démêler ses souvenirs.

— Même après le jour où il a fallu quitter nos terres ancestrales, ce qui lui a brisé le cœur, il a continué à exercer son art. Et il savait beaucoup de choses, pas juste sur la guérison. Il avait une connaissance des lieux et des gens que tout le monde lui enviait, a-t-elle dit, puis elle a déglutit. C'est pour ça, sans doute, qu'on lui avait confié l'un des Sept Outils magiques.

— C'est vrai ?

Elle a hoché la tête.

— Lequel ?

— Je ne devrais pas te le dire. C'est un secret chez les Mellwyn-bri-Meath.

Tout en regardant l'eau couler à mes pieds, je me suis laissé envahir par les souvenirs. Je me rappelais très bien ces outils légendaires que j'avais sauvés lors de l'effondrement du château des Ténèbres : la charrue qui labourait toute seule, la scie qui coupait juste la quantité de bois dont on avait besoin... Quoi encore ? Ah oui : la houe, le marteau, la pelle. Et aussi le seau, toujours rempli d'eau à ras bord et presque aussi lourd que la charrue.

Seul le septième était resté introuvable. J'ignorais quel aspect il avait et quels étaient ses pouvoirs. Pourtant, j'avais souvent rêvé que je le retrouvais. Il était généralement derrière un mur de flammes infranchissable, et chaque fois que j'essayais de le récupérer, je me brûlais les mains, le visage et les yeux. J'entendais mes cris, je sentais l'odeur de ma chair brûlée et, quand la douleur devenait intolérable, je me réveillais en sueur.

Avec douceur, Hallia m'a touché la main.

— Je vois à ton visage que, toi aussi, tu sais certaines choses au sujet des Sept Outils magiques.

— C'est vrai, ai-je répondu, les yeux toujours sur le torrent. Je les ai tous tenus entre mes mains, je les ai même tous utilisés... sauf un. Et celui-là est définitivement perdu.

Elle m'a observé un moment d'un air songeur, puis m'a confié tout bas :

— Non, il n'est pas perdu.

— Quoi ? C'est pourtant ce que tout le monde m'a dit, y compris Cairpré.

— Tout le monde l'a cru, en effet. À part mon père et quelques-uns parmi nous qu'il avait mis dans le secret. Lorsque les soldats du roi Stangmar ont voulu s'en emparer, mon père leur a donné une copie qu'il avait lui-même fabriquée. Le vrai, il l'avait caché dans un endroit sûr.

— Où donc ?

— Ça, il ne l'a jamais dit à personne, a répondu Hallia. L'Outil a été sauvé… mais pas lui. Peu de temps après, des chasseurs l'ont abattu.

Ému par le chagrin que j'ai lu dans ses yeux, je lui ai pris la main. Nous sommes restés ainsi quelques instants en silence à regarder les tourbillons dans l'eau. J'avais envie de partager sa peine encore plus que son secret.

Finalement, elle a repris :

— C'était une clé, jeune faucon, une clé magique, sculptée dans un bois de cerf, avec un saphir sur l'anneau. Ses pouvoirs… Oh, je ne sais plus — encore une chose parmi tant d'autres que mon père m'a racontées et dont j'ai perdu le souvenir. J'étais si jeune, alors ! Je sais seulement qu'il y attachait une grande importance.

Elle a croisé ses doigts entre les miens.

— Mais, une fois, je m'en souviens, il a dit que les pouvoirs de cette clé, pourtant puissants, ne pouvaient rivaliser avec la main d'un guérisseur.

Au même moment, nous avons entendu des cris plaintifs en aval. Ils se sont rapidement amplifiés et, quelques secondes plus tard, nous avons vu arriver le ballymag dont les six membres battaient l'eau à toute allure. Il s'est laissé tomber lourdement sur le talus et m'a sauté dans les bras, tremblant et haletant.

— Alerte ! Horreur ! C'est l'estropieurtueur ! a-t-il braillé, les yeux remplis de frayeur.

Avant même que j'aie pu lui demander de quoi il parlait, une énorme tête a émergé d'un bois d'aubépines tout proche. Gwynnia ! En allongeant le cou, elle a fait voler les branches en éclats. Puis elle est sortie des arbres sous un nuage de feuilles, les ailes repliées sur le dos, et s'est penchée vers nous. La lumière orange de ses yeux, reflétée par l'eau de la rivière, rendait son apparition encore plus effrayante.

— Au secours ! Le goinfrosaure ! a hurlé le ballymag, enfouissant sa tête sous mon bras. Le grand mangetuetout ! Nous sommes perdus !

— Ne dis pas de bêtises. Ce dragon est notre ami.

— Il ne te fera aucun mal, a renchéri Hallia.

Ravi d'entendre la voix de sa protectrice, Gwynnia a donné de joyeux coups de queue sur le sol, déracinant une aubépine, laquelle, en tombant dans le torrent, a fait gicler de la boue de tous les côtés et couvert les alentours de branches. C'en était trop pour le ballymag. Il a poussé un cri et s'est évanoui. À la vue de l'animal tout flasque qui gisait sur mes genoux, et dont les queues pendaient lamentablement, le dragon a penché la tête, intrigué.

— Il n'est pas fait pour l'aventure, le malheureux, ai-je dit en caressant le corps inerte. Je ferais mieux de le renvoyer chez lui.

— Dans les Marais hantés ? Tu n'y penses pas ! s'est exclamée Hallia.

— C'est de là qu'il vient.

— Alors il a eu raison de s'enfuir ! C'est un lieu maléfique, plein de dangers, et que tout le monde évite à part les goules.

— Mais il a besoin d'être près de l'eau, tu le vois bien. Et loin des dragons. Comment il est venu ici, je n'en sais rien. En tout cas, il vaut certainement mieux le renvoyer chez lui.

Hallia a fait non de la tête, puis a touché le dos humide du ballymag.

— C'est de la folie, je te dis. En plus, ce maudit marécage est à l'autre bout de l'île.

Entendre le doute dans sa voix m'a fait me raidir.

— Tu crois que je n'y arriverai pas ?

— Ma foi… j'en doute.

J'ai froncé les sourcils, mais je sentais le rouge me monter aux joues.

— Sauter est l'un des pouvoirs les plus difficiles à maîtriser, tu me l'as dit toi-même.

J'ai frappé durement la berge, m'aspergeant de boue.

— Tu m'en crois incapable ? ai-je lancé, furieux.

— Et si tu l'envoies par erreur au mauvais endroit ?

— D'abord, je ne ferai pas d'erreur ! ai-je déclaré, tout en regardant mon ombre secouer la tête d'un air navré. Et en tout cas, si par hasard ça se produit, il ne se réveillera pas sous le regard menaçant d'un dragon.

Avant de me relever, j'ai déposé délicatement le ballymag dans les roseaux au bord de l'eau. Appuyé sur mon bâton, les pieds fermement plantés sur le sol, j'ai tourné le dos à Hallia pour mieux me concentrer. Presque aussitôt, j'ai senti les pouvoirs monter en moi, comme la lave d'un volcan. Alors, j'ai invoqué le pouvoir de Sauter.

*Petit tour bref ou aventure lointaine…*
*Voici venus le jour et l'heure du grand saut.*
*Au cœur d'une étoile naine*
*Tu trouveras le royaume de Mortes-Eaux ;*

*Ici toute rime vient à propos*
*Pour l'honneur, jamais la haine...*
*Voici venus le jour et l'heure du grand saut.*

Un éclair de lumière blanche a jailli de la rive. L'eau du torrent a grésillé et le ballymag s'est volatilisé... en même temps qu'Hallia et moi.

# IV

## SOUFFREMORT

**D**es aiguilles de pin! J'en avais plein la bouche. Je me suis aussitôt retourné pour les recracher. D'énormes branches qui semblaient soutenir la voûte céleste se dressaient au-dessus de moi : une ramure gigantesque à travers laquelle ne brillaient que quelques taches de lumière.

— Bravo, jeune faucon.

J'ai encore craché un bout de résine collante et j'ai tourné la tête vers Hallia, embarrassé. Comme moi, elle était allongée sur le dos au milieu des aiguilles de pin et des branches cassées.

— Bon, d'accord, ai-je admis. C'est un peu raté…

Elle s'est assise et m'a observé d'un air sévère.

— Un peu, dis-tu ? Tu devais expédier le bal-lymag, pas nous ! Nous voici, à présent, dans je ne sais quelle forêt, et lui, où est-il ? N'étaient-ce pas les Marais hantés que tu visais ? Remarque, je ne devrais pas m'en plaindre. Je devrais même me réjouir que tu aies manqué ton but.

Elle a repoussé une aiguille de pin de son nez.

— En tout cas, comparé à tes performances, on peut dire que l'atterrissage de Gwynnia était très réussi… Au fait, où est-elle passée ? s'est-elle inquiétée, soudain.

Elle s'est levée d'un bond, m'envoyant encore plus d'aiguilles.

— Gwynniaaa ! a-t-elle crié.

Sa voix a traversé les bois tel un épervier.

— Ma Gwyyyniaaa !

Pas de réponse. Elle s'est tournée vers moi, le front soucieux.

— J'espère qu'il ne lui est rien arrivé. Elle me répondrait si elle m'entendait. Tu ne crois pas que…

— Que nous l'avons oubliée ? ai-je complété en me levant à mon tour, puis en balayant les aiguilles et l'écorce de mes vêtements. C'est bien possible. Après tout, je n'étais pas censé l'envoyer où que ce soit.

— Et nous non plus ! Elle doit être dans tous ses états, la pauvre. Elle est peut-être par ici, mais trop loin pour nous entendre.

— Peu importe où est ce *ici*, ai-je murmuré.

À vrai dire, je ne savais pas du tout où nous avions atterri. J'ai levé les yeux vers la voûte feuillue et respiré à fond. L'air sentait bon le cèdre et le pin. Il s'y mêlait aussi une vague odeur de pourriture. Je respirais néanmoins ces parfums avec délice. Même si je n'aimais pas être perdu, j'étais toujours content dans la forêt, surtout quand elle était sombre, car plus elle était sombre, plus les arbres étaient vieux et plus ils avaient de choses à m'apprendre.

Une légère brise a agité les branches, aspergeant mon visage de rosée. Cela m'a rappelé une autre journée, dans une forêt du pays de Gwynedd, que certains appellent le pays de Galles. Celle où, poursuivi par un ennemi, je m'étais échappé en grimpant au sommet d'un pin. Peu après, pris dans un violent orage, je m'étais cramponné à l'arbre et balancé avec lui au milieu des éléments déchaînés, soutenu et même enlacé par ses branches. J'en étais sorti trempé, mais rafraîchi et régénéré.

Hallia m'a donné une petite tape sur le bras. Au moment où je me tournais vers elle, un coup de vent a secoué l'arbre au-dessus de nous. Elle a commencé à parler, mais je l'ai arrêtée d'un geste de la main car, dans le craquement des branches, j'ai entendu des voix, des voix graves et sonores.

Pourtant, elles ne semblaient pas venir de cette forêt majestueuse. Elles étaient pleines de désespoir et de douleur. Une douleur de plus en plus perceptible.

J'ai tendu l'oreille, attentif. Les arbres m'appelaient en agitant leurs grands bras. Je ne comprenais pas tout ce qu'ils disaient. Ils parlaient tous en même temps, parfois dans des langues qui m'étaient inconnues. Mais j'en comprenais certains. Un cèdre se plaignait : *Nous sommes en train de mourir.* Un tilleul, dont les feuilles en forme de cœur tombaient lentement en tourbillonnant, se lamentait : *Elle me ronge. Elle mange mes racines, toutes mes racines.* Et un pin gémissait : *Mon enfant ! Pitié pour mon enfant !*

Puis le vent s'est calmé et les voix se sont tues. Je me suis tourné vers Hallia.

— Cette forêt a des problèmes, on dirait. De gros problèmes.

— Je le sens aussi.

— Ça ne paraît pas naturel.

— Tu as raison. Mais si on y regarde de plus près, on voit des signes partout. Comme ces plantes grimpantes sur le bosquet de sapins.

— Et là, regarde ça, ai-je dit en grattant un peu de mousse grise sur l'écorce d'un pin. J'ai déjà vu cette sorte de lichen sur des arbres, mais seulement après une inondation. Jamais dans une forêt saine.

Hallia a acquiescé d'un air sombre.

— Si seulement on pouvait faire quelque chose pour eux. Mais quoi ? En plus, nous aussi nous avons des ennuis. Comment allons-nous retourner dans les Pays de l'Été, et retrouver Gwynnia, la pauvre ? Et le ballymag, où est-il, maintenant ?

J'ai ramassé mon bâton en serrant les dents.

— Je suis vraiment désolé, ai-je dit. Je ne me doutais pas que mon saut irait tout de travers.

J'ai serré le bout noueux de mon bâton.

— J'ai oublié la première leçon, ce que Dagda appelait *l'âme de la magie* : l'humilité.

J'ai glissé mon bâton dans ma ceinture d'un geste rageur avant d'ajouter :

— Il me faudrait encore cent ans de pratique avant de pouvoir tenter de nouveau une expérience comme celle-là ! Tu te rends compte que j'aurais pu nous envoyer dans un autre pays, ou même un autre monde ?

— Ne t'inquiète pas pour ça, a répondu Hallia en secouant la tête. Mes pieds, mon nez, mes os, tous me disent que nous sommes toujours à Fincayra.

Elle scruta les arbres autour de nous.

— Cette forêt me rappelle un endroit où je suis allée il y a des années, quand je n'étais encore qu'un faon. Le mélange de variétés, la façon dont elles sont plantées, tout me paraît familier. Mais l'endroit dont je te parle était plein de vie. Quelle sorte de maladie est capable de mettre toute une forêt dans cet état ?

— Oh, a gémi une voix derrière les racines d'un cèdre. Terribuleuse souffremort.

Nous avons couru vers l'arbre. Le malheureux ballymag se trouvait à l'intérieur des racines, des débris d'écorce et des paquets d'aiguilles accrochés aux pinces. Son ventre rebondi tremblait à chacun de ses mouvements, et ses moustaches pendaient tristement. Mais ma seconde vue, plus perçante que l'œil du hibou, n'a remarqué aucune trace de blessure.

Je me suis penché pour essayer de retirer une brindille collante d'une de ses queues. Comme il reculait, apeuré, je l'ai rassuré :

— Tu n'as rien à craindre, le dragon n'est plus avec nous.

— Mais le monstrumain, il est là !

Il a levé le museau pour reniflé l'air, puis il a écarquillé encore plus les yeux.

— Et pluspire, véritieusement pluspire, cet endroit est le plus horriblifique de tous ! a-t-il hoqueté tout tremblotant et gémissant. Horrib-b-blifique endroit.

— Alors, tu sais où nous sommes ? s'est écriée Hallia.

— Certainieusement. V-vous ne senthumez pas cette infecte odeurdeboue ?

— Non, je ne sens pas d'odeur, ni debout ni assis.

— O-deur-de-boue, bêta ! Ces monstrumains sont véritieusement bouchés ! a-t-il marmonné en fermant les yeux d'un air atterré.

Je l'ai secoué jusqu'à ce qu'il rouvre les yeux.

— Alors, où sommes-nous, d'après toi ?

Il nous a regardés d'un air sinistre.

— Dans le bois ombroyeux bordurant les Marais hantés au sud.

J'ai tressailli.

— Les Marais hantés ? Tu en es sûr ?

— Certainieusement ! a-t-il dit en remuant ses moustaches. Tu crois que je ne connais pas l'odeur de mamienne flaquedeboue ?

Hallia a secoué la tête.

— C'est impossible. La forêt dont je me souviens était dans les collines au sud, loin des marais, à une journée de marche, au moins.

— Tu en es certaine ? ai-je demandé.

— Absolument. Je n'oublie jamais les forêts, surtout anciennes. Et elle était vraiment très loin des Marais hantés.

— Oh malheur, mais si, elle est toutouprès ! a crié le ballymag, tremblant de la tête à la queue. Monstrumain, s'il te plaît... pincemipince-moi, s'il le faut. Arrachetire-moi les moustaches, un poil après l'autre, mais emmènetraîne-moi loin d'ici !

Ses protestations me laissaient perplexe.

— Je ne comprends pas. Même si nous étions près des Marais hantés, pourquoi ne veux-tu pas y retourner ? Je croyais que c'était là que tu habitais.

— C'était, oui, absolutueusement. Mais maintenantpluspas. Trop dangereux.

— Pourquoi ? me suis-je étonné.

Le ballymag a essayé d'enfouir sa tête sous une racine, comme pour se cacher.

— Peux pas explicationner ! Trop horribuleux.

Je savais qu'il n'y avait rien de pire que les Marais hantés. Je gardais un souvenir affreux de la traversée que j'avais faite avec Rhia : de l'air nauséabond, de l'eau vaseuse et puante, et surtout d'horribles goules qui se tortillaient autour de nous dans le noir en poussant de lugubres gémissements. Je n'avais aucune envie de connaître à nouveau un tel enfer. Hallia avait raison : ces marais étaient à éviter à tout prix.

Le ballymag a relevé la tête et soupiré.

— Comme je regrette mon chezmoi et ses charmesenfouis ! Mon chezmoi douchéri depuis si longtemps !

Hallia et moi nous regardions, incrédules, tandis qu'il poursuivait, les yeux brillants de nostalgie.

— Ah, les flaques flatulentes, les étangs putrideux ! Les marais chamarrés de boue fraîche et moelleuse ! C'était si mouellicieux... Jusqu'à...

— Jusqu'à quoi ?

— Bâtonpoison ! a hurlé soudain le ballymag, pointant ses pinces vers mes pieds. Dangermortel !

J'ai baissé les yeux et vu un gros bâton tordu.

— Du calme, maintenant. Ça suffit ! Je n'ai pas peur des bâtons, et tu ne devrais pas en avoir peur non plus.

— Mais tu ne...

— Assez, tu entends ! ai-je dit en tirant mon épée.

Un rai de lumière passait entre les branches et s'est reflété sur la lame, la faisant briller de mille feux.

— Voilà qui nous débarrassera des bâtons... et peut-être bien des ballymags pleurnichards.

Hallia a froncé les sourcils.

— Viens. Retournons à... Ah !

Elle n'a pas pu finir sa phrase. Les yeux exorbités, le teint livide, elle tirait sur le serpent qui venait de s'enrouler autour de sa gorge. L'épée au poing, j'ai volé à son secours.

— Souffremort ! a hurlé le ballymag.

Soudain, quelque chose de lourd m'a heurté de plein fouet dans le bas du dos et a grimpé à toute vitesse le long de ma colonne vertébrale. Je n'ai même pas eu le temps de crier. Des muscles puissants m'ont enserré le cou.

Un autre serpent ! Je ne pouvais plus respirer. J'ai juste eu le temps de voir Hallia tomber à genoux et se débattre avec celui qui l'étranglait, puis tout s'est mis à tourner autour de moi. J'ai trébuché, je me suis rattrapé de justesse, mais j'ai perdu mon épée. Je me suis dirigé vers Hallia en titubant. Il fallait absolument que je parvienne jusqu'à elle…

Mes doigts tentaient de s'enfoncer dans la chair froide qui se refermait autour de mon cou. Elle était dure, comme un collier de pierre. J'avais beau tirer, le serpent serrait de plus en plus fort. Ma tête allait exploser, mes bras et mes jambes faiblissaient. De violents élancements me traversaient le cou, la tête, la poitrine. Je ne tenais plus debout, j'étouffais. De l'air… J'avais besoin d'air !

J'ai trébuché à nouveau et me suis effondré, roulant sur les aiguilles de pin. J'ai essayé de me relever, mais je suis retombé, face contre terre. Je me suis alors senti sombrer dans une étrange obscurité. Plus de vertige, plus de mouvement.

Mes pouvoirs… Je devais utiliser mes pouvoirs magiques ! Mais je n'en avais plus la force.

Un objet pointu m'a piqué l'épaule. J'ai senti la coupure, j'ai vu le sang. Mon épée… Avais-je roulé dessus ? Une vague idée m'a traversé l'esprit. Avec le peu de force qui me restait, j'ai essayé de remonter le long de la lame en me tortillant, mais tout s'est encore obscurci autour de moi. Je l'ai sentie s'enfoncer dans ma chair... et peut-être autre chose.

Trop faible pour lutter davantage, je n'ai plus bougé. Un dernier souhait m'a traversé l'esprit :

*Pardonne-moi, Hallia. S'il te plaît.*

Tout à coup, le serpent a relâché son étreinte. J'ai inspiré, haletant. J'ai senti des fourmillements dans les bras et ma vision a commencé à s'éclaircir. Le serpent avait été coupé par la lame. D'un geste brusque, je l'ai arraché de mon cou. Hallia était tout près. Immobile.

Saisissant mon épée, j'ai rampé jusqu'à elle. Le serpent qui l'étranglait s'est légèrement déroulé. Il a dressé la tête en sifflant, prêt à l'attaque ; ses yeux jaunes grésillaient. Soudain, il s'est jeté sur moi...

Au même instant, mon épée a fendu l'air et la lame a claqué contre le corps du reptile. Sa tête s'est envolée et a rebondi sur un tronc d'arbre avant de retomber par terre.

J'ai lâché mon épée pour m'approcher d'Hallia.

*Je t'en supplie, Hallia ! Respire*, ai-je pensé.

J'ai tenu son cou — presque aussi violet que sa robe — et je l'ai secouée. Elle était totalement inerte. Je lui ai caressé les joues, j'ai serré sa main glacée.

Rien. Aucune réaction.

— Hallia ! ai-je crié, le visage inondé de larmes. Reviens à toi ! Je t'en prie !

Pas le moindre mouvement ni le moindre souffle. Elle ne donnait aucun signe de vie.

Je me suis effondré sur elle, pressant mon visage contre le sien.

— Ne meurs pas, ai-je murmuré. Pas ici, pas maintenant.

Quelque chose m'a frôlé la joue. Était-ce une larme ? Non... des cils !

J'ai redressé la tête et regardé mon amie. Au même instant, elle a inspiré faiblement une première fois, puis une deuxième, et une troisième.

Peu après, elle s'est assise en toussant et en frottant son cou endolori. Ses grands yeux bruns au regard caressant m'ont contemplé quelques secondes. Puis ils se sont tournés vers l'épée tachée de sang, posée à côté de moi, et vers le serpent sans tête qui gisait sur les aiguilles de pin.

Un frêle sourire est alors apparu sur ses lèvres.

— Réflexion faite, tu ne vises pas si mal que ça.

# flammes, levez-vous

Il nous a fallu plus d'une heure pour retrouver nos forces et permettre à Hallia de nettoyer ma plaie avant que je fasse intervenir mon pouvoir de guérison pour ressouder les chairs. Et il a fallu une heure de plus pour que le ballymag se remette à parler, car la frayeur l'avait rendu muet. Enfin, assis parmi les racines noueuses et les aiguilles de pin, nous avons pu apprécier le bonheur d'être encore en vie et aptes à nous défendre en cas d'une nouvelle attaque de serpents.

— Tu es courageubrave, a déclaré le ballymag d'une voix rauque en tirant nerveusement sur ses moustaches. Bien plussement courageubrave que moi.

J'ai lancé une pomme de pin entre les branches d'un jeune arbre.

— Au moins, tu as repéré ce serpent avant qu'il attaque. Comment savais-tu que ce n'était pas un vrai bâton ?

— Les yeux méchants. Quasipresque fermés mais jaunetbrillants. J'avais souvent vu les mêmepareils.

Je me suis penché vers lui, scrutant son visage rond.

— Dans les marais ? Ces serpents venaient de là-bas ?

— Oui, absolutueusement.

— De ce soi-disant merveilleux endroit où tu habites, ai-je ironisé.

— Le mot que tu as employé, il me semble, était *mouellicieux*, a précisé Hallia.

— Euh… a fait le ballymag.

Il a essayé de se racler la gorge et ses queues tressaillaient nerveusement.

— J'ai pupeut-être exagériser un petitantinet.

— Un *petitantinet*, ai-je répété, perplexe. Que se passe-t-il dans ces marais ? Même si ce n'est pas si loin d'ici, comme tu le crois, pourquoi ces serpents en sont partis ?

Il a fermé les yeux, puis les a rouverts brusquement.

— Probablament pour l'affreusemême raison que moi.

— C'est-à-dire ?

— Trop terribuleux même pour le murmur-souffler, a-t-il dit en secouant la tête, ses six bras et la plupart de ses queues. Pire que mes rêve-peurs les plus pires. Beaucoup plus pire.

— Raconte.

Il s'est recroquevillé au milieu des racines.

— Oh nonpas.

Hallia m'a touché le bras.

— Il ne te fait toujours pas confiance.

Exaspéré, j'ai grogné.

— Combien de fois faudra-t-il que je lui sauve la vie pour qu'il se fie à moi ? Enfin, après tout, tant pis. Il ne restera pas longtemps avec nous.

Le ballymag, atterré, a recommencé à trembler de tous ses membres.

— Monstrumain va me masticroquer ?

— C'est tentant, mais non.

Je me suis levé et je l'ai regardé avec regret.

— Nous allons retourner dans les Pays de l'Été. Mais puisque je t'ai amené ici, je dois te conduire quelque part où il y a de l'eau. Non, rassure-toi, pas dans tes *mouellicieux* marécages ! Mais nous passerons sûrement bientôt près d'un endroit avec de l'eau. Et c'est là que je te laisserai, que ça te plaise ou non. Que ce soit un cours d'eau, un petit lac… ou même une flaque.

Le ballymag a plissé les yeux et fait mine de me donner un coup de pince.

En soupirant, j'ai déchiré une bande de tissu dans le bas de ma tunique, j'ai noué les deux bouts ensemble et j'ai accroché cette écharpe improvisée autour de mon cou pour y suspendre l'animal. Il a eu beau se tortiller comme un beau diable, j'ai réussi à le prendre dans mes bras et à le rentrer de force à l'intérieur. Une de ses queues dépassait. Elle s'enroulait et se déroulait de concert avec ses gémissements, mais le reste de son corps était bien caché sous le morceau de tissu.

Il a suffi qu'Hallia effleure le paquet gémissant sur ma poitrine pour qu'il se mette à crier et se roule en boule dans les plis du tissu. Elle a fixé des yeux le petit paquet.

— Si cet animal n'apprécie pas le fait que tu nous as sauvé la vie, moi, je t'en suis reconnaissante, jeune faucon.

— C'est ça qui nous a vraiment sauvé la vie, ai-je répondu en désignant mon épée.

Cette réponse ne lui a pas plu.

— Arrête, maintenant, a-t-elle protesté en frappant le sol du pied, telle une biche en colère. À t'entendre, on croirait que tu n'as rien fait du tout.

J'ai fixé les arbres ombragés.

— Ce n'est pas ce que je veux dire. Mais nous avons failli mourir. Si j'ai vraiment les pouvoirs que Cairpré et les autres m'attribuent, je ne devrais pas me laisser surprendre par des serpents.

— Pff... Pourquoi ne ferais-tu pas des erreurs parfois, comme tout le monde ?

— Parce que je suis censé être un enchanteur !

— Très bien, grand enchanteur, a-t-elle déclaré, en se campant devant moi, les mains sur les hanches. Alors, dis-moi quelque chose... Par exemple, comment nous allons retrouver Gwynnia avant qu'elle soit morte d'inquiétude et décide de partir à ma recherche comme une folle à travers la campagne ?

— Eh bien je vais tenter un nouveau saut et...

— Non !

— Dans ce cas, nous devrons marcher. Avec notre ami, ai-je ajouté en tapotant l'écharpe — et échappant de justesse à ses pinces.

Je me suis tourné vers le vieux cèdre à côté de moi et j'ai posé la main sur le tronc rugueux. Une douce odeur de résine m'a chatouillé les narines. Je sentais presque la sève circuler sous l'écorce.

— Si seulement je pouvais trouver le moyen de t'aider, l'ami. Toi, et vous tous ici. Mais le temps me manque.

Les branches au-dessus de moi ont légèrement bougé et fait tomber sur moi une pluie d'aiguilles mortes. J'ai jeté un coup d'œil vers Hallia.
Elle s'était déjà enfoncée dans la forêt en suivant
les rayons obliques du soleil de l'après-midi. J'ai
appuyé ma paume contre l'écorce de l'arbre
quelques secondes de plus.

— Un jour, peut-être, je reviendrai, ai-je
murmuré.

Ce n'était pas facile de rattraper Hallia. Elle
avançait d'un pas rapide. Si je n'avais pas eu le
ballymag avec moi, elle se serait sans doute
transformée en cerf. Mais même sur deux jambes,
elle sautait avec aisance par-dessus les racines et
les troncs d'arbres qui gisaient par terre, alors que
j'accrochais ma tunique à toutes les branches. Le
poids du ballymag ne m'aidait pas, ni ses tentatives de me pincer.

J'ai quand même fini par la rattraper.

— Sais-tu au moins où tu nous emmènes ?
ai-je lâché, à bout de souffle.

Elle a évité une branche parfumée de pruche
avant de me répondre.

— Si c'est bien la forêt à laquelle je pense, les
Pays de l'Été sont à l'ouest. Je ne devrais pas
tarder à trouver un point de repère.

— J'espère trouver rapidement de l'eau et me
débarrasser de… — j'ai repoussé une pince — ce
fardeau.

Pendant longtemps encore, nous avons continué à marcher au milieu des arbres, avec pour seuls bruits les craquements de nos pas ou ceux d'un écureuil détalant sur une branche. Soudain, des coups sourds ont retenti dans un ravin en contrebas. Des coups d'épée, ou de hache. Puis le vent s'est mis à souffler dans les branches, accompagné d'une longue plainte discordante.

Nous nous sommes arrêtés net. J'ai saisi Hallia par le bras.

— Nous ne pouvons rien faire pour sauver cette forêt, mais nous pouvons peut-être sauver au moins un arbre.

Elle a acquiescé d'un signe de tête.

Guidés par le son, nous avons dévalé la pente à travers les ronces. Malgré tous mes efforts pour la suivre, Hallia m'a rapidement distancé. À un moment, j'ai trébuché sur une branche morte et je suis tombé à plat ventre. Le ballymag a failli me rendre sourd avec ses cris, mais je me suis relevé aussitôt et j'ai continué à descendre.

Quelques instants plus tard, le terrain est redevenu plat. J'ai débouché sur une étroite clairière tapissée d'herbe verte. Hallia était là, les bras croisés sur la poitrine, face à un homme armé d'une hache rudimentaire. J'ai tout de suite remarqué ses oreilles en pointe comme celles de la plupart des Fincayriens, et surtout ses yeux.

Son regard fixait méchamment la jeune femme qui osait s'interposer entre lui et un grand pin noueux, dont le tronc était déjà entamé sur le côté.

— Va-t'en de là! a crié l'homme, balançant sa hache en direction d'Hallia.

Sa tunique usée se balançait dans le même mouvement. Derrière lui se tenait une femme échevelée, avec un bébé dans les bras qui pleurait en agitant ses jambes maigres.

— Va-t'en! a crié l'homme à nouveau. On a besoin d'un peu de bois pour faire du feu, et c'est pas toi qui vas nous en priver!

Il a levé sa hache pour appuyer sa menace.

— Il est inutile d'abattre un arbre entier pour ça, a objecté Hallia sans bouger. Surtout un vieil arbre comme celui-ci. Il y a plein de bois par terre. Je vais vous aider à en ramasser.

— Il n'est pas assez sec, a rétorqué l'homme. Allez, pousse-toi!

— Je ne bougerai pas, a déclaré Hallia.

— Moi non plus, ai-je déclaré, tout essoufflé, en me postant à côté d'elle.

De plus en plus furieux, l'homme, la hache en l'air, nous fixait d'un air menaçant.

— Notre fille a froid, a gémi la femme. Et il lui faut un repas chaud. Elle n'a rien mangé depuis hier matin.

Hallia s'est radoucie. Elle a penché la tête de côté, le regard interrogateur.

— Pourquoi ? Où habitez-vous ?

La femme a hésité, interrogeant son mari du regard.

— Dans un village, a-t-elle dit, méfiante. Près du marais.

— Vous voulez parler des Marais hantés ? ai-je demandé en jetant un regard furtif vers Hallia. Ils sont près d'ici ?

La femme m'a regardé d'un air bizarre sans répondre.

— Peu importe où se trouve votre village, pourquoi n'y êtes-vous pas en ce moment ? a insisté Hallia.

Sans prêter attention au geste de son mari pour la faire taire, la femme a commencé à sangloter.

— Parce qu'il… est envahi par *elles*.

— Par qui ?

L'homme a brandi sa hache.

— Par les goules, a-t-il lancé d'un ton bourru. Maintenant, poussez-vous !

Au même instant, le ballymag a passé la tête par-dessus l'écharpe. À la vue de la hache, il s'est mis à geindre bruyamment et s'est renfoncé dans les plis du tissu.

— Envahi, dites-vous ? ai-je repris. Les goules ne font jamais ce genre de choses, que je sache.

La femme a essayé de donner son doigt à sucer à la petite fille, mais l'enfant l'a repoussé.

— Notre village est près des Marais hantés depuis cent cinquante ans, a-t-elle poursuivi, et nous n'avions jamais vu ça non plus. Nous entendions leurs cris toutes les nuits, pour sûr, et c'était pire que des chats qui se battent ! Mais si on ne s'en occupait pas, elles nous laissaient tranquilles. Jusqu'à… enfin, tout a changé, maintenant.

Le mari a fait un pas vers nous, la hache au poing.

— Assez parlé, a-t-il aboyé.

— Attendez, ai-je ordonné. Si c'est du feu que vous voulez, je connais un autre moyen.

Sans lui laisser le temps de réagir, j'ai levé mon bâton. Sous mes doigts, je sentais un des signes gravés dans le bois : le papillon. J'ai tendu l'autre main en direction d'un tas d'aiguilles et de brindilles aux pieds de l'homme et, en silence, j'ai fait appel au pouvoir de Changer. Aucun vent ne soufflait, mais j'ai senti ma tunique se gonfler et les manches battre comme si une brise s'était levée. L'homme m'a regardé, stupéfait, tandis que sa femme reculait de plusieurs pas.

Sur un rythme lent et cadencé, j'ai prononcé les paroles de l'allumeur de feu :

*Flammes, à présent jaillissez*
*De la forêt ou des marais ;*
*Plus brillantes que les yeux,*
*D'un feu inconnu des mortels.*

*Père de la chaleur*
*Pour l'enclume et le bûcher ;*
*Mère de la lumière,*
*Ô feu infini.*

Le bois s'est mis à grésiller. Les aiguilles brunes se sont recroquevillées, tandis que l'écorce se fendait et craquait. Une petite fumée s'est élevée vers le ciel et bientôt les brindilles, l'écorce et les aiguilles se sont enflammées.

L'homme a crié et fait un bond de côté. Mais une étincelle a touché l'ourlet de sa tunique déchirée qui a commencé à brûler. Il a aussitôt arraché une touffe d'herbes et tapoté les flammes. Sa femme, serrant son bébé contre elle, a reculé encore.

Une fois le feu éteint, l'homme s'est tourné vers moi et m'a fixé un long moment en silence.

— C'est de la sorcellerie, a-t-il grommelé. De la maudite sorcellerie.

— Non, non, ai-je répondu. Juste un peu de magie, pour vous aider.

J'ai pointé les flammes devant moi.

— Allez, venez vous réchauffer près du feu avec votre famille, et faites aussi chauffer votre nourriture.

Il a regardé sa femme, les yeux remplis à la fois de terreur et d'envie, puis l'a prise par le bras.

— Jamais, a-t-il craché. Pas de flammes de sorcier pour nous !

— Mais… c'est pourtant ce dont vous avez besoin.

Insensibles à mes arguments, ils ont traversé la prairie et se sont retirés dans la forêt. Nous sommes restés là, médusés, jusqu'à ce que le bruit de leurs pas et les cris du bébé s'estompent.

En baissant les yeux, j'ai vu mon ombre se taper les flancs. Elle se moquait de moi, une fois de plus ! Furieux, j'ai sauté dessus à pieds joints. Hallia s'est retournée, intriguée, mais juste avant qu'elle ne voie l'ombre, celle-ci était redevenue normale et suivait tous mes mouvements. Hallia m'a observé d'un drôle d'air.

J'ai éteint le feu à coups de botte rageurs. Mon ombre a ajouté à mon irritation en faisant la même chose que moi, mais avec un peu plus de vigueur.

— Je ne voulais pas les effrayer, ai-je soupiré. Seulement les aider.

— Les intentions ne sont pas tout, jeune faucon, a-t-elle déclaré d'un air triste. Je le sais bien, crois-moi.

Il m'a semblé qu'elle avait envie d'ajouter quelque chose, mais elle s'est retenue et a fait un geste en direction de la famille.

— Après tout, ils n'avaient pas l'intention de tuer ce pauvre arbre. Ils voulaient juste faire un feu pour leur enfant.

— Ça revient au même !

— Tu as bien essayé de renvoyer chez lui le ballymag et, au lieu de ça, tu nous as tous fait partir avec lui. N'est-ce pas la même chose ?

Je me suis senti rougir.

— C'est complètement différent, ai-je dit en enfonçant un peu plus mon talon dans les cendres. Au moins, cette fois-ci, la magie a fonctionné. Mais pas comme je le souhaitais.

— Écoute, tu as fait ce que tu as pu. Je regrette seulement... Oh, je ne sais même pas très bien quoi, a-t-elle dit en regardant les braises s'éteindre. C'est juste difficile, parfois, de faire ce qu'il faut.

— Alors, je ne devrais même pas essayer ?

— Si, mais avec prudence.

Toujours perturbé, je l'ai contemplée. Puis mon regard s'est posé sur le pin abîmé. La taille de sa blessure m'impressionnait.

— Je peux quand même faire quelque chose de bien aujourd'hui, ai-je décidé.

Je me suis agenouillé au pied du vieux tronc et, du bout du doigt, j'ai touché la sève sucrée et collante qui s'écoulait de l'entaille. Elle était plus épaisse que du sang et d'une teinte plus claire, plus orangée que rouge. Elle ressemblait pourtant beaucoup au sang qui avait coulé de mon épaule un peu plus tôt. J'ai écouté le murmure à peine audible des aiguilles frémissantes. Puis, très doucement, j'ai posé mes mains sur la blessure, en ordonnant à la sève de s'arrêter de couler pour refermer la plaie.

Je l'ai sentie se solidifier sous mes paumes. J'ai retiré mes mains et écrasé quelques aiguilles ramassées sur le sol, que j'ai étalées sur la plaie. J'ai soufflé lentement dessus, plusieurs fois, en dirigeant mes pensées vers l'intérieur des fibres de l'arbre.

*Enfoncez-vous profondément, racines, et tenez bon. Élancez-vous haut vers le ciel, vous les branches; rejoignez l'air et le soleil. Écorce... épaissis, renforce-toi. Et toi, le bois, reste vigoureux et souple.*

Lorsque j'ai senti que je ne pouvais pas en faire davantage, je me suis relevé. Je me suis retourné pour parler à Hallia, mais une autre voix m'a devancé, une voix étrange, voilée et vibrante, faite d'air plus que de son. Je ne l'avais jamais entendue auparavant. Pourtant je l'ai tout de suite reconnue. C'était celle de l'arbre.

## ∽ VI ∽

## DES RACINES LIÉES

À ma grande surprise, l'arbre ne parlait pas le langage des pins — ce bruissement si singulier que j'avais appris à comprendre — mais la langue de Fincayra, celle que je parlais avec Hallia ! Cependant, sa voix aérienne, son rythme étrangement cadencé étaient vraiment particuliers. À vrai dire, je n'avais jamais entendu personne parler, ou plutôt chanter ainsi.

*Dans le sol mes racines s'enfoncent :*
*Avec peine, elles poussent, elles avalent…*
*Dur labeur des arbres.*
*Année après année, durant de longs siècles,*
*Je construis mes racines pour m'élever.*
*Pour croître en majesté !*
*Tandis que mes branches montent vers le ciel*
*Pour me faire une couronne royale,*
*Je construis mes racines pour m'élever.*
*Croître en sagesse.*
*Croître en sagesse.*

Hésitant, j'ai reculé et mon épaule a heurté celle d'Hallia. Ses yeux, plus grands que d'habitude, étaient fixés sur l'arbre. De l'intérieur de mon écharpe, une autre paire d'yeux et des moustaches tremblantes ont émergé. Soudain l'arbre entier a frissonné. J'en ai tremblé moi-même, tant sa souffrance était visible. Des morceaux d'écorce humides de sève se sont détachés de ses branches. On aurait dit qu'il pleurait.

> *Trop vite vient le jour : ô épargnez-moi, je vous*
> *prie...*
> *Ils taillent, ils attaquent...*
> *Un homme vient pour tuer.*
> *Je suis sur son chemin, j'encours sa colère,*
> *Pourtant, jamais je ne lui ferais de mal.*
> *Jamais ne lui ferais peur !*
> *Ma vie, mon savoir,*
> *Prendraient fin aujourd'hui,*
> *Pourtant jamais je ne le tuerais*
> *Ni ne le blesserais.*
> *Ni ne le blesserais.*

La voix est devenue plus aiguë, presque comme un sifflet. J'ai senti une vive douleur dans mes côtes, comme si une lame m'avait transpercé. Mais l'arbre a continué :

*Mais des amis arrivent, avant que la sève se tarisse !*
*Ils viennent le braver, ils viennent me sauver…*
*Avant que la hache ne me déchire le cœur.*

En entendant cela, Hallia a glissé sa main dans la mienne. À son contact, ou au ton différent de l'arbre, la douleur à mon côté s'est calmée. Peu à peu, je me suis redressé et l'arbre a semblé faire de même.

*Vous défiez sa volonté, l'empêchez de me tuer,*
*Alors je continuerai à vivre.*
*Et à donner !*
*Mes branches s'élèvent avec joie,*
*Et mon tronc librement se plie,*
*Alors je continuerai à grandir.*
*Ainsi que mon savoir.*
*Ainsi que mon savoir.*

Le grand pin, exultant, a agité ses plus hautes branches, puis, dans un grand craquement, son tronc a pivoté d'un quart de tour, d'abord d'un côté, puis de l'autre. J'ai compris qu'il s'étirait. Il se préparait à accomplir une sorte d'exploit.

À mi-hauteur du tronc, deux déchirures se sont ouvertes entre des bandes d'écorce. Deux yeux, noirs comme du terreau, sont apparus dans ces fentes et nous ont fixés plusieurs secondes avant de regarder le sol. Brusquement, ses racines se sont mises à trembler. L'arbre, ébranlé dans ses fondements, nous a saupoudrés d'une pluie d'aiguilles, de brindilles et d'écorce. Le bois grinçait, craquait. Le sol s'est fendillé autour des racines ; des mottes de terre ont sauté en l'air.

La main d'Hallia s'est resserrée autour de la mienne. Le ballymag a poussé un cri de frayeur et a enfoui précipitamment sa tête dans l'écharpe.

Au même moment, une énorme racine s'est soulevée et arrachée du sol. Puis elle est retombée, fouettant la terre tel un grand fouet chevelu. Lentement, ses centaines de petites racines se sont étendues pour mieux le stabiliser alors que le tronc basculait, portant tout son poids sur elle. De l'autre côté, une deuxième racine s'est sortie de la terre, suivie d'une troisième, et d'une autre encore. Des touffes d'herbe et de terre volaient dans toutes les directions.

Finalement, l'arbre s'est immobilisé. À présent, il n'était plus ancré dans le sol, mais simplement posé dessus. Hallia et moi regardions les yeux noirs toujours fixés sur nous, quand l'arbre, levant une grosse racine, a fait un pas vers nous.

Nous n'avons pas fui. Au contraire, nous sommes restés plantés sur place comme deux jeunes arbres, absorbant l'air humide et imprégné de résine qui nous enveloppait d'un manteau parfumé. Nous savions que nous venions de rencontrer l'une des créatures les plus discrètes de Fincayra. Une créature qui se cachait si bien qu'elle pouvait passer inaperçue pendant des décennies, voire des siècles. Dans la langue ancienne, on l'appelait *nynniaw pennent* — toujours là, jamais trouvée.

Un arbre qui marche.

Il s'est approché d'un pas lourd et hésitant, laissant sur l'herbe, derrière lui, une trace humide qui brillait au soleil. Il s'est arrêté tout près de nous. Lentement, les extrémités de ses racines se sont enroulées autour de nos chevilles. Nous avons senti monter une douce chaleur dans nos jambes, puis dans notre corps, et nous avons souri.

Alors l'arbre a recommencé à chanter de sa voix grave et voilée.

> *Nos bois sont liés, nous sommes côte à côte...*
> *Face aux assauts du vent...*
> *C'est folie de se cacher.*
> *Je ne sais ni qui vous êtes, ni d'où vous venez,*
> *Mais maintenant nous avons des racines parentes.*
> *Oui, des racines jumelles!*
> *Avant, je me sentais perdu*
> *Et pleurais en silence,*

*Maintenant nous avons des racines communes.*
*Oui, des racines liées.*
*Oui, des racines liées.*

Sur ces derniers mots qui semblaient portés par la brise, les branches d'un cèdre, à côté, se sont balancées doucement. D'autres arbres ont suivi le mouvement, puis d'autres encore, jusqu'à ce que le balancement gagne toutes les branches autour de nous. Le bosquet, la forêt tout entière semblait participer à son chant de célébration.

Soudain, la musique a changé. Des notes plus dures, plus graves, se sont élevées au milieu du doux murmure des branches. Celles-ci se sont mises à claquer, à gémir. Puis la dissonance s'est amplifiée, et je me suis souvenu des premiers cris de douleur que j'avais entendus, peu de temps avant. Mais, cette fois, la plainte résonnait dans toute la forêt, comme si tout le pays était submergé par une vague de souffrance.

Alors, l'arbre qui marche a élevé la voix et entonné un chant empreint de tristesse :

*La maladie gagne notre terre :*
*On taille, on coupe…*
*Et nul ne subsiste.*
*Elle avance, furtive, mine notre santé ;*

*Empoisonne nos petits.*
*Nos jeunes plants !*
*Leurs feuilles ne peuvent respirer ;*
*Ni leurs racines, survivre.*
*Elle empoisonne notre sève ;*
*Nos jeunes arbres.*
*Nos jeunes arbres.*

Plus que jamais, je me suis senti proche de l'esprit de cet arbre, de tous ces jeunes arbres qui ne demandaient qu'à vivre et dont il portait l'angoisse.

— Quelle est cette maladie ? ai-je crié. Ne peut-on l'arrêter ?

Soudain, l'arbre s'est raidi. Dans toute la forêt, les branches se sont tues, tandis qu'un nouveau bruit retentissait au loin : un martèlement continu, de plus en plus fort, comme un grand tambour dont les battements ébranlaient le sol et les arbres. Ce bruit venait-il de la forêt ou d'ailleurs ? En tout cas, il approchait rapidement.

L'arbre devant nous a bougé à nouveau. Ses racines ont lâché nos chevilles et plongé dans le sol. Elles vibraient en s'enfonçant dans la terre, fredonnant des notes sinistres qui faisaient écho aux derniers mots de son chant. *Nos jeunes arbres.*

*Nos jeunes arbres.* Juste après, ses yeux se sont refermés derrière leurs paupières d'écorce. À présent, rien ne le distinguait plus des autres pins.

Pendant ce temps, le grondement devenait de plus en plus tonitruant. Les vibrations ont provoqué une nouvelle pluie de brindilles et de débris d'écorce. J'ai senti le ballymag se recroqueviller, tout tremblant, dans l'écharpe. Une branche s'est écrasée à nos pieds.

— Ne restons pas là, jeune faucon ! s'est écriée Hallia. Partons vite !

— Attends. Je connais ce bruit...

Trop tard. Elle avait déjà filé. J'ai vu ses jambes devenir floues à cause du mouvement, son dos descendre vers l'avant, son cou s'allonger. Sa robe violette est passée au vert avant de prendre la couleur brun roux d'un pelage luisant au soleil. Ses muscles travaillaient durement au niveau de son dos et de ses jambes tandis que ses mains et ses pieds se changeaient en sabots.

Hallia, maintenant devenue biche, s'éloignait à toute allure et s'enfonçait dans la forêt. Je me suis mis à courir à mon tour. Pas pour fuir les grondements, mais pour aller à leur rencontre.

## ❦ VII ❧
## UN ŒIL ROSE

**T**andis que je fonçais à travers les bois, les grondements s'amplifiaient. C'était comme des coups de pilon qui ébranlaient la terre et secouaient les grands arbres jusqu'à leur base, les faisant trembler et gémir. À tout moment, j'entendais tomber une branche ou un arbre déraciné : le sol se fissurait, les racines sautaient, se fendaient ; les fougères, aussi délicates que des ailes de libellule, frémissaient sur leurs tiges. Mon bâton m'aidait à garder l'équilibre. Et, en dépit des cris du ballymag à chaque secousse, je restais attentif aux grondements.

Il fallait que je sache d'où ils venaient.

Les arbres se sont espacés, laissant pénétrer davantage de lumière dans les sous-bois. Soudain, après avoir traversé un rideau de plantes grimpantes parsemé de fleurs rouges, j'ai débouché en plein soleil.

Je me trouvais en haut d'une pente, face à une étendue d'herbes roussies qui ondulaient presque jusqu'à l'horizon, pour se fondre au loin dans une ligne de brumes sombres et mouvantes : les Marais hantés.

Ils étaient donc si près ! Le ballymag avait raison, finalement. Pourtant, Hallia semblait avoir un souvenir très clair de cette forêt et de sa distance par rapport au marécage. Celui-ci était-il en train d'avancer ? Allait-il bientôt gagner la forêt ? J'avais le sentiment que la maladie des bois, sous toutes ses formes, venait de là, tout comme les serpents étrangleurs, les goules qui avaient chassé la famille de son village, et les mystérieuses forces qui avaient poussé le ballymag à quitter son foyer. Mais qu'y avait-il derrière tout cela ? Était-il possible que quelque chose de plus sinistre encore que le marais lui-même soit à l'œuvre ?

En bas de la pente, à la limite du marécage, se dressait la masse sombre d'un groupe d'arbres gigantesques. Ils étaient loin mais se détachaient nettement sur les brumes à l'arrière-plan. Presque aussi larges que hauts, ils remuaient d'une étrange façon, comme pris dans un tourbillon de vent continuel. Soudain, j'ai compris que ces silhouettes n'étaient pas du tout des arbres, et qu'elles étaient la source des coups qui ébranlaient le sol.

Je l'avais déjà entendu, ce bruit terrifiant, et jamais oublié. Je connaissais sa lourde frappe, son rythme incessant. Il n'y avait que des pas de géants pour secouer ainsi la terre, l'air et tout le reste.

Les imposantes silhouettes montaient d'un pas décidé. Elles avançaient à une vitesse étonnante, malgré leur taille aussi imposante et lourde que les plus grands arbres. À chaque seconde qui passait, leurs contours se précisaient : les troncs ont bientôt fait place à des jambes, des ventres et des torses ; les branches, à des bras poilus. Des cous, des mâchoires et des yeux sont aussi apparus, ainsi que des nez, les uns pointus comme des pics, les autres ronds comme des rochers.

Certains géants, à la barbe épaisse, n'étaient vêtus que de pantalons de feuillages et d'herbes tressés. D'autres portaient des gilets colorés et des capes de broussailles. Des boucles d'oreilles faites de meules et de roues de moulin dépassaient de leurs longues crinières ; des hachettes et des poignards immenses — de la taille d'un homme adulte — étaient accrochés à leurs larges ceintures. Mais tous, quelle que soit leur tenue, étaient d'une taille impressionnante.

Alors qu'ils approchaient, le bruit de leurs pas devenait de plus en plus assourdissant. Appuyé sur mon bâton, je songeais à mon ami Shim : je me revoyais à côté de lui, m'étirant de toute ma hauteur pour toucher le sommet d'un de ses orteils, et j'ai regardé mes pieds qui me paraissaient bien chétifs comparés aux siens. Je me suis rappelé aussi mes empreintes sur le sable mouillé, le jour où mon radeau de fortune m'avait amené par je ne sais quel miracle sur la côte de Fincayra. Ce jour-là me semblait si loin, et en même temps si proche...

Mes yeux se sont posés sur mon ombre. Elle tremblait encore plus fort que moi chaque fois que le sol vibrait. Elle se balançait et s'agitait en tout sens, comme un reflet dans les eaux d'un étang battu par le vent.

Tandis que je m'efforçais de rester bien droit sur mes jambes, le ballymag a pointé le nez hors de l'écharpe. En voyant les géants approcher, il a poussé un cri d'horreur. Une de ses pinces s'est accrochée au col de ma tunique, et il a levé vers moi des yeux terrifiés.

— D-des g-géants gigantitanesques! a-t-il balbutié.

J'ai hoché la tête en les regardant monter.

— Pourquoi monstrumain pas cou... pas coucou... pas courircacher? a-t-il bafouillé en tirant sur ma tunique. V-vite!

— Parce que je veux leur parler, ai-je crié.

Les moustaches hérissées, le ballymag était dans tous ses états.

— Monstrumain! Tu ne voudraispourrais pas?... Ne devraisvoudrais-tu pas?...

Il s'est tourné vers les géants, a poussé un cri strident et a semblé tomber sans connaissance dans les plis de l'écharpe.

J'ai observé les visages anguleux des géants, qui grandissaient à mesure qu'ils s'approchaient. Leur arrivée, pour ma part, me rassurait plutôt. Les géants étaient les plus anciens habitants de Fincayra. Ils connaissaient bien le pays et ses mystères. Avec leur haute taille et leurs yeux perçants, ils voyaient des choses que les autres ne percevaient pas. Peut-être seraient-ils capables d'expliquer la soudaine montée du marécage et tous les problèmes qui en résultaient.

J'ignorais ce qui se passait dans les Marais hantés et je craignais de voir le mal s'étendre, non seulement au voisinage proche mais à d'autres régions. En observant les brumes, je pensais à ces serpents qui avaient failli nous étrangler. Je sentais que quelque chose dans ce sombre bourbier menaçait l'avenir de Fincayra. Un enchanteur — du moins un grand enchanteur comme Tuatha — n'aurait pas hésité à mettre tout son pouvoir au service de l'île pour la protéger.

Pouvais-je compter sur les géants ? Rien de moins sûr. Ils étaient timides et n'aimaient guère partager leurs secrets. Même si, grâce à Shim, j'avais passé un certain temps parmi eux, je restais un étranger à leurs yeux. Et un homme. Pire

que cela : le fils d'un roi détesté qui les avait pour-
chassés sans pitié.

Malgré les tremblements du sol et mon cœur
qui battait à toute vitesse, j'essayais de garder
mon calme. L'un d'entre eux prendrait-il le temps
de m'écouter ? Où m'écraseraient-ils avant même
que j'aie posé mes questions ? C'est alors que
me sont revenues en mémoire les paroles qu'une
amie m'avait murmurées lors de ma première
visite à Varigal, la cité ancestrale des géants : *Un
jour, peut-être,* m'avait-elle dit, *tu apprendras que le
moindre battement d'aile d'un papillon peut être aussi
puissant qu'un tremblement de terre qui ébranle les
montagnes.* Ce jour était-il arrivé ?

L'ombre des géants m'a enveloppé. Tout en
les sachant fondamentalement pacifiques, du
moins la plupart du temps, j'étais inquiet. Un
seul de ces colosses pouvait aplatir un arbre
d'un coup, boire un lac en quelques minutes ou
écraser un rocher sans effort. Une fois, j'avais vu
une de leurs congénères soulever un bloc de
pierre que cinquante individus de ma taille
auraient eu de la peine à déplacer aussi facilement qu'une meule de foin. Grâce au ciel, ils uti-
lisaient rarement leur force pour faire du mal aux
autres. En tout cas, je l'espérais.

Ils étaient six. Chacun dépassait en hauteur
les plus grands arbres de la forêt. À mon grand

regret, Shim n'était pas parmi eux. En plus, ils avaient des mines sinistres. En les voyant de plus près, je me suis aperçu qu'ils traînaient derrière eux un énorme paquet, une sorte d'aggloméré fait de boue, de tourbe et de ronces.

— Tu es vraiment très courageux, ou alors complètement fou, a lancé une voix derrière moi.

Hallia ! Sortant de la forêt, elle était en train de reprendre forme humaine. Elle m'a rejoint d'un pas alerte, ses yeux de biche passant de moi aux formes géantes qui montaient la pente.

Je lui ai fait signe de reculer.

— Reste dans les bois, c'est plus sûr.

— Pas si tu restes ici.

J'ai serré les dents.

— Tu as tort. Ton premier réflexe était le bon et tu as eu raison de t'enfuir.

— À première vue, peut-être. Ensuite je me suis rendu compte que tu ne venais pas et que les marécages s'étaient étendus, beaucoup plus que je ne l'aurais jamais imaginé. Je reste avec toi, jeune faucon, a-t-elle décrété avec un air de défi.

— Mais je...

Une voix tonitruante au-dessus de nous m'a interrompu.

— Regardez ! Un petit homme et une petite femme ! Mauvais présage...

Le géant qui parlait ainsi était une géante dont les cheveux roux et bouclés lui descendaient jusqu'aux genoux.

— Naan, un bon repas ! a rétorqué un autre d'un ton bourru, qui s'en léchait déjà les babines. Hmm, a-t-il poursuivi. Pas très copieux, mais c'est mieuuux, beaucoup mieuuux que les baies des marais.

Alors qu'il tendait sa grosse patte pour nous attraper et que nous reculions, un troisième géant, à la barbe noire maculée de boue, a repoussé brutalement son bras.

— Bougrrre d'idiot, laisse-les en viiie, a-t-il aboyé. On a vu assez de morrrts pour aujourrrd'huiii.

La main de son compagnon s'est refermée.

— Je n'ai d'ordre à recevoir de personnne ! Sssurtout pas de toi !

— De toute façon tu es si borrrné que tu ne comprrrends jamais rrrien ! a rétorqué le troisième géant en riant, tandis que deux autres s'esclaffaient.

Le géant ridiculisé a voulu lui donner un coup de poing, mais il a manqué son but et décapité un arbre, ce qui nous a valu une nouvelle pluie d'aiguilles et de branches cassées. Hallia a sauté et commencé à courir, puis s'est arrêtée.

— Tu vois, grrros balourrrd, tu ne sais même pas viser. Haa-haa-haa !

Le géant, furieux, s'est rué sur son adversaire, mais son pied a butté contre le paquet et il a perdu l'équilibre. Il a rugit et la violence de sa chute nous a projetés au sol, Hallia et moi. Quand nous nous sommes relevés, les deux belligérants s'affrontaient dans un corps à corps sans merci. Ils roulaient l'un sur l'autre ; leurs bras, leurs jambes cognaient lourdement le sol. Les autres géants se sont approchés pour assister au combat, excitant les lutteurs par leurs cris et leurs railleries. Pendant ce temps-là, le gros paquet couvert de boue restait sans surveillance.

Soudain, ledit paquet s'est mis à grogner.

Sa partie inférieure a commencé à se désagréger. D'une avalanche de boue ont émergé deux énormes orteils poilus. Puis il y a eu un deuxième grognement et une nouvelle projection de débris à l'odeur de pourriture causée par un brusque mouvement. À quelques pas de nous, un œil rose s'est ouvert ; d'un clignement de paupières, il s'est débarrassé de la boue qui l'obstruait. Au-dessus pointait un énorme nez en forme de poire, aux narines encombrées de cailloux, de bouts de bois et de vase.

À la base de ce qui s'annonçait comme la tête d'un géant, les couches boueuses se sont mises à vibrer. Alors qu'apparaissaient un cou et un menton, des touffes de matière végétale ont volé. Hallia a évité de justesse une branche pourrie qui a atterri sur l'herbe, à côté d'elle, et qui s'est défait en plusieurs morceaux. Enfin, la montagne de boue s'est fendue et, d'une bouche large comme une crevasse, une voix a jailli.

— Ah… Je me srens mal. Certainement, tout à frait, absolument.

— Shim ! me suis-je écrié, reconnaissant non pas sa voix changée par toute la saleté qui bouchait son nez, mais plutôt une des expressions favorites de mon ami. C'est moi ! Merlin !

Je devais hurler pour qu'il m'entende, car son oreille était obstruée par des tas de saletés.

Il a plissé son nez bulbeux, déclenchant une nouvelle avalanche de débris dont une grande partie est retombée dans sa bouche, ce qui l'a fait cracher et tousser. Cette quinte a dégagé un peu plus son nez, le faisant avaler encore plus de saletés marécageuses, ce qui l'a fait tousser tant et plus pendant plusieurs minutes. Pour éviter de me faire frapper par sa tête et ses bras qui volaient en tout sens, j'ai reculé jusqu'à la lisière des bois.

Hallia, qui m'y attendait, m'a jeté un regard inquiet.

— Tu connais ce géant ?

— Très bien, même ! Je l'ai connu avant qu'il devienne aussi grand. Il m'a aidé à sauver les Outils magiques quand le château de Stangmar s'est écroulé.

— Méfie-toi quand même : il pourrait t'écraser sous son pied comme un ver de terre si tu n'y prends pas garde.

J'ai fait un signe avec mon bâton en direction des autres géants. Ils étaient encore si absorbés et excités par la bagarre entre les deux lutteurs qu'ils n'avaient pas remarqué que Shim avait repris ses esprits.

— Ceux-là m'inquiètent bien plus que lui, ai-je dit. Shim est un ami. Et peut-être qu'il sait ce qui passe dans les marais.

Comme sa toux se calmait, je m'apprêtais à retourner près de lui, mais le regard d'Hallia m'a retenu.

— Écoute, jeune faucon. Les géants sont peut-être dangereux, mais au moins tu peux leur échapper en courant. Les Marais hantés, c'est une autre histoire. Que veux-tu savoir de plus, si ce n'est qu'ils sont déjà trop près ? Regarde, ils sont là, en bas, au pied de la colline ! Il faut partir, et en vitesse.

— Je comprends, mais fais-moi confiance. Quand j'y étais... enfin, je n'ai aucune envie d'y retourner, à moins que ce soit absolument nécessaire.

J'ai entendu un gémissement étouffé dans l'écharpe, contre ma poitrine. Même inconscient, le ballymag manifestait son inquiétude.

— Comment oses-tu seulement parler d'y retourner ? a insisté Hallia. Une fois aurait dû te suffire.

— Tout ce que je sais, c'est qu'il se passe quelque chose de tout à fait anormal, ai-je dit en désignant du bras les vapeurs brumeuses qui s'élevaient de la zone marécageuse. Il y a une présence, là-bas, quelque chose que je n'ai pas senti depuis longtemps. Je ne peux pas expliquer clairement quoi, mais je sais que c'est dangereux.

Hallia m'a observé, sceptique.

— Prends garde, jeune faucon. Cette fois, tu dois être sûr.

— Je suis sûr. Je veux aider ce pays... notre pays.

— Pas seulement pour être un grand enchanteur ?

— Non ! ai-je protesté. Et que tu le croies ou non, j'ai également l'intention d'être prudent.

Elle a secoué la tête en soupirant.

## ∽ VIII ∽
## Des flèches
## qui percent le jour

a toux tonitruante de Shim s'étant un peu calmée, je me suis approché de lui.

— Alors, raconte, mon ami. Que t'est-il arrivé ?

Il s'est assis péniblement, avant de retomber sur l'herbe de tout son poids. Mais le bruit de sa chute n'était rien comparé au tumulte causé par la lutte sans fin que se livraient les deux géants, un peu plus bas. Toute la pente résonnait de leurs beuglements, ponctués par le choc de leurs corps sur le sol et par les cris de leurs compagnons.

— Bon pauvre nez, a gémi Shim. L'est tout brouché. Ch'peux à preine respirer. Berlin, a-t-il dit, tournant vers moi son énorme tête. Qu'est-ce que tu frais ici ?

— C'est une longue histoire. Mais je suis content de te revoir.

— Boi aussi, bêbe avec toute cette broue dégoûtante. Je serais contrent de te rabener chez

toi, bais je peux à peine brouger. Je suis si fraible !
Certainebent, tout à frait, absolubent.

— Que s'est-il passé ?

Ses yeux sont devenus aussi rouges que la
pince d'un forgeron.

— Elles ont vroulu bloquer la Route des
géants, l'ancienne vroie qui traverse les barais.
Celle qu'on emprunte depuis toujours pour aller
pêcher l'étré sur la côte.

J'ai regardé les géants qui luttaient encore,
puis j'ai recoué la tête.

— Qui a pu avoir une idée aussi insensée ?

— Les groules des barais.

— Les goules des marais ?

— Oui ! Quand on a essayé de rouvrir le pras-
sage, elles nous ont attaqués. Avec des flèches,
des flèches terribles qui preuvent percer le jour.

Derrière moi, Hallia a laissé échapper un cri.
En même temps, j'ai senti le ballymag bouger de
nouveau dans l'écharpe.

— Que veux-tu dire, Shim ? Des flèches qui
percent le jour ?

Sans répondre à ma question, Shim a
continué :

— J'étais frurieux ! Oui, frurieux ! a-t-il crié.
Je les ai chrassées de la route. Ah, ces groules,
elles b'ont bien eu. Je suis bombé la tête la pre-
bière dans une grande flaque de broue.

J'ai allongé le bras pour lui toucher l'oreille, même si elle était couverte de tant de boue que seuls quelques petits îlots isolés montraient encore de la peau.

— C'était courageux de ta part.

— Courageux, bais idiot.

— Peut-être, ai-je dit en souriant. Mais je me souviens d'une époque où tu n'étais pas si brave. Où tu courais jusqu'à la nuit juste pour éviter une piqûre d'abeille.

— Je n'ai jabais aibé être priqué, a-t-il dit, moitié riant, moitié toussant. Bais cette fois, j'ai frailli be noyer, a-t-il ajouté d'un ton grave. Heureusebent, bes abis, avec leurs bras costauds, b'ont sortri de là. Je crois quand bêbe que je vais bourir étrouffé dans cette broue.

J'ai réfléchi à ce qu'il venait de me dire. Mon cœur battait à tout rompre et faisait presque autant de bruit, me semblait-il, que les beuglements des géants plus bas.

— Mais pourquoi, Shim? Pourquoi les goules sont-elles devenues si mauvaises tout d'un coup? Elles ont toujours fait peur, c'est sûr, mais seulement à ceux qui entraient sur leur territoire. Maintenant, elles attaquent les géants, terrorisent les villageois… comme si elles chassaient tout le monde du marais, même les serpents.

Le grand œil m'observait attentivement.

— Je t'ai déjà vru avec cet air-là, Berlin. Tu es de noubeau plein de frolie.

— Et toi, ton nez est plein de saletés. Attends, voyons si je peux faire quelque chose pour toi.

En m'aidant de mon bâton, j'ai escaladé la tête de mon ami. La pente était glissante et il m'a fallu un certain temps pour atteindre son oreille. Je commençais à la gravir quand une nouvelle vague de boue a dégouliné sur moi et m'a rejeté par terre. En même temps, une forte odeur de pourriture a rempli l'air. C'était irrespirable.

Sans même essuyer ma tunique, j'ai repris mon ascension. En coinçant mon bâton sous une pierre, j'ai finalement réussi à atteindre le sommet de l'oreille, puis, en longeant la tempe, à grimper sur la joue, pour parvenir enfin à la base du nez. Je me suis trouvé alors face à deux énormes narines complètement bouchées par des saletés.

Plantant fermement mes bottes, j'ai essayé de retirer une partie de la boue et des branches, mais sans grand succès, tant ses cavités nasales étaient encombrées. J'ai essayé de débloquer le tout à l'aide de mon bâton, mais rien à faire.

— Laisse tromber, Berlin, a dit Shim, en parlant doucement pour que la puissance de sa voix ne me fasse pas culbuter de sa lèvre. C'est trop brouché.

— Attends, j'ai une autre idée.

J'ai glissé mon bâton dans ma ceinture et attrapé la poignée de mon épée. Quand je l'ai sortie de son étui, la lame a tinté comme un lointain carillon. Ce son évoquait toujours pour moi le destin de cette arme et le lien mystérieux qui l'unissait au mien. En faisant pivoter la lame dans ma main pour la faire briller au soleil, j'y ai aperçu le reflet de mon visage qui me regardait fièrement, et même avec assurance.

Avec précaution, j'ai pointé l'épée vers une des deux narines.

— Ne bouge surtout pas.

— Tu es frou, a marmonné Shim. Fais attention, ne me prique pas !

J'ai enfoncé la lame d'un coup et l'ai tournée vigoureusement. Mais aucune boue n'est sortie. J'ai essayé de nouveau, avec encore plus de force.

Au même moment, l'un des géants nous a aperçus — la géante aux cheveux roux.

— Arrêtez ! a-t-elle crié à ses compagnons en agitant ses longs bras. Le petit homme essaie de tuer Shim !

À part les deux lutteurs, ils se sont tous immobilisés. Ensemble, ils ont poussé un rugissement de rage. Plusieurs sont montés à l'assaut, leurs énormes mains tendues vers moi, avec l'intention manifeste de me réduire en bouillie.

J'ai voulu retirer mon épée du nez de Shim pour leur faire face, mais la lame est restée coincée. J'ai eu beau tirer de toutes mes forces, impossible de la débloquer. J'ai entendu Hallia crier. Le ciel au-dessus de moi s'est brusquement obscurci. Une odeur de mains moites s'est substituée à celle du marais.

Les doigts puissants allaient se refermer sur moi et m'étouffer quand une éruption aussi violente que celle d'un volcan m'a projeté dans les airs. Mes oreilles ont failli exploser. Je me suis senti dégringoler, cul par-dessus tête, le visage et la poitrine couverts d'une matière visqueuse et verdâtre.

J'ai tout de suite compris que Shim venait d'éternuer.

L'atterrissage a été rude. J'ai roulé et rebondi plusieurs fois avant de m'arrêter. La tête me tournait encore quand j'ai réussi à m'asseoir et à m'essuyer la figure. Au sommet de la côte, les géants rassemblés autour de Shim le secouaient en lui flanquant de grandes tapes fraternelles. J'ai souri, espérant qu'il retrouverait sans tarder la force de marcher, et que son nez était enfin débouché.

Hallia, elle, s'était transformée en biche. À l'approche d'un rocher, elle s'est élancée vers le ciel, les pattes repliées sous elle. Alors qu'elle était juste au-dessus de l'obstacle, il y a eu un instant magique, le temps d'un battement de cœur, où elle est restée parfaitement immobile, et, juste avant que ses sabots touchent l'herbe, j'ai eu l'impression que le sol montait à leur rencontre pour les accueillir. À la fin, pendant qu'elle franchissait les dernières longueurs qui me séparaient d'elle, j'ai senti le vent sur mon visage, le martèlement du sol dans mes cuisses, me rappelant, avec une vivacité douloureuse, la sensation de liberté qu'on éprouve à courir comme un cerf.

J'ai tenté de détendre mes épaules raides. La voir m'a fait penser à la légende dont m'avait parlé Cairpré, selon laquelle, dans des temps très anciens, les hommes et femmes de Fincayra pouvaient voler. Tous avaient alors des ailes, paraît-il, et ils en prenaient grand soin, jusqu'au jour où, mystérieusement, celles-ci avaient disparu à jamais. J'avais souvent rêvé de pouvoir voler, moi aussi. Mais, en regardant Hallia, j'avais surtout envie de courir à ses côtés.

Elle a ralenti son allure, s'est redressée, a levé la tête et repris sa forme humaine avant de me rejoindre d'un pas vif et léger. Me voyant tout crotté mais sain et sauf, elle a souri.

— Décidément, jeune faucon, tu sais t'y prendre avec les géants.

— Seulement avec ceux qui ont le nez bouché.

Je me suis levé et, avec difficulté, à cause de la boue qui collait à mes bottes, je me suis dégagé de la saleté qui m'entourait. À part quelques bleus et une éraflure à la hanche, je ne ressentais aucune blessure. Mon bâton était toujours accroché à ma ceinture, intact. De même que le ballymag qui, à en juger par ses cris étouffés, avait repris connaissance.

Hallia est redevenue sérieuse.

— Maintenant, s'il te plaît, retournons dans les Pays de l'Été, auprès des miens et de ma chère Gwynnia. Elle doit être folle d'inquiétude.

Au lieu de répondre, je me suis tourné vers le marécage dont les brumes s'étendaient jusqu'à l'horizon. Devinant mes pensées, Hallia a poursuivi :

— Tu trouveras peut-être une solution, mais plus tard, lorsque tu en sauras davantage. Les anciens de mon clan auront peut-être des choses intéressantes à te dire à propos des Marais hantés. Et Cairpré aussi. Il sera sûrement de bon conseil.

Mon regard toujours posé sur les marais, j'ai répondu d'un faible hochement de tête.

— Oui, tu as raison.

— D'ailleurs, jeune faucon, c'est impossible d'aller là-dedans. Personne n'y va.

— Alors, pourquoi suis-je si attiré par ces marais, qui m'inspirent une telle répulsion par ailleurs ?

— Je ne sais pas, a-t-elle soupiré. Mais ne devrais-tu pas chercher la réponse à cette question avant de t'aventurer plus loin ?

— Je l'ai fait, crois-moi, mais tout me paraît confus.

Je me suis mordillé la lèvre inférieure avant d'ajouter :

— Un véritable enchanteur, je pense, verrait les choses plus clairement.

Hallia s'est approchée de moi et a saisi ma tunique couverte de boue.

— Un véritable enchanteur saurait ce qu'il peut … et ce qu'il ne peut pas faire.

— Sans doute… ai-je hésité. Ce serait sans doute de la folie d'agir dans la précipitation. Cette forêt a survécu durant des siècles. Elle peut certainement tenir un peu plus longtemps… assez, du moins, pour que je puisse en apprendre davantage sur ce qui se passe vraiment.

— Exactement, a-t-elle répondu avec douceur. Maintenant, filons avant que le soleil ne soit trop bas.

— Je te suis.

Soudain, je me suis aperçu que mon fourreau était vide.

— Mon épée ! me suis-je exclamé. Où est-elle ?

Hallia s'est retournée.

— Là, a-t-elle annoncé, pointant son doigt vers le bas de la pente. Tu la vois ?

On ne pouvait pas ne pas la voir. Mon épée brillait, toute droite, la lame plantée dans le sol, comme pour marquer la limite entre les terres boisées et les marais. Les brumes mouvantes au loin semblaient vouloir s'en emparer et s'enroulaient déjà autour de la poignée.

Au même instant a surgi du ciel un grand oiseau aux ailes grises. Il a piqué droit sur l'épée, a saisi la poignée dans ses serres et l'a arrachée du sol. Puis, avec un cri rauque et quelques lents battements de ses ailes puissantes, il est remonté vers le ciel.

— Reviens ! ai-je hurlé, médusé.

Je n'ai même pas pensé à faire appel à la magie.

L'oiseau s'est dirigé vers le soleil couchant et les vastes étendues des Marais hantés. En quelques secondes, qui m'ont semblé une éternité, il est entré dans les colonnes de brume tourbillonnante et là, avec un nouveau cri, il a lâché sa prise. Mon épée a jeté un dernier éclat avant de disparaître dans la brume.

## ∽ IX ∽

# PERDUS

Atterré, j'ai regardé les sombres vapeurs engloutir ma lame… et l'oiseau qui l'avait volée. Je n'en croyais pas mes yeux.

— Disparue ! ai-je fait, incrédule. C'est impossible ! Il faut que je la retrouve.

Hallia scrutait l'horizon noyé dans les brumes. Le soleil, déjà bas dans le ciel, recouvrait d'or tout le paysage qui se teintait rapidement de rouge.

— Attends… Tout ça est vraiment trop bizarre. Pourquoi un oiseau ferait-il une chose pareille ? À moins que ce soit…

Elle a secoué la tête, comme pour chasser une pensée indésirable.

— Quoi ?

— … une façon de t'attirer dans le marais.

J'ai haussé un sourcil.

— Tu veux dire un piège ?

— Oui, un piège pour toi, jeune faucon.

— Ça m'étonnerait. Quoi qu'il en soit, j'ai besoin de mon épée.

— Il y en a d'autres. Tu peux laisser celle-là aux goules.

— Pas question. Cette épée fait partie de moi, de mon...

— Destin ? a-t-elle coupé en me jetant un regard sévère. Il serait temps que tu choisisses ton propre chemin, tu ne crois pas ?

— Eh bien, j'ai choisi, ai-je répondu d'un ton ferme.

Elle a grimacé et fermé les yeux un instant.

— Alors, tu y vas ?

— Là, et ailleurs s'il le faut. Hallia, imagine que l'épée soit liée d'une façon ou d'une autre au reste de cette sombre histoire. Mon devoir est de faire quelque chose, au moins d'essayer.

Mon regard s'est attardé sur ses cheveux que la lumière du soir ornait de reflets cuivrés.

— Tu devrais retourner chez les tiens, ai-je ajouté. Va retrouver Gwynnia. Je te rejoindrai après les marais.

Le ballymag tremblait contre mes côtes. Ses pinces claquaient d'inquiétude. J'ai pris la main d'Hallia.

— Je reste quand même avec toi, tu sais, lui ai-je rappelé tout bas. Au moins d'une certaine façon.

Je l'ai sentie frissonner.

— Non, ça ne suffit pas... Je t'accompagne, a-t-elle murmuré.

— Tu as tort.

— Je viens quand même.

Elle a levé les yeux, scrutant le ciel.

— Je regrette seulement que Gwynnia ne soit pas avec nous, a-t-elle ajouté.

Le ballymag a subitement sorti sa tête de phoque de l'écharpe.

— Pas moi! a-t-il hurlé. Retourner jetermoi dans gueuledegoules? Horribuleux monstrumain! a-t-il lancé, brandissant deux grosses pinces qu'il a fait claquer sous mon nez. Tu veux ma finfinale, pôvredemoi, si petijeunet.

— Désolé, ai-je répondu en repoussant les pinces. Je ne voulais pas, je ne savais pas...

— Garde-les pour toi, tes excuseries! a-t-il lancé, des larmes plein les yeux. Je dois être fortcourageux! Je me suis débrouillardé tout seul pour trouver des claireseaux, et j'espère en retrouver de nouveau. Si... si je ne suis pas dévoracé par des dragons ou par des monstrumains.

Hallia a tendu la main et caressé ses moustaches tremblantes.

— Nous n'avions pas l'intention de te ramener ici. Nous voulions juste te sauver.

Le ballymag a essayé de grogner, mais sa tentative s'est transformée en gémissements.

— La prochainedefois, secouristez quelqu'un d'autre.

Il prit une inspiration tremblante.

— Maintenant, je dois m'enfuir. Mais d'abord, a-t-il ajouté en regardant mon fourreau vide, écoutoyez mon conseillavis : si vous ne voulez pas mourir de souffremort, n'approchez pas de ces terribuleux marais.

— Peux-tu nous expliquer un peu ce qui se passe là-bas ? ai-je demandé en fixant les vapeurs tourbillonnantes.

— S'il te plaît, a renchéri Hallia, dis-nous ce que tu sais.

Le ballymag, qui commençait à se hisser hors de l'écharpe, nous a répondu avec un frisson dans la voix.

— Les goules... elles se sont mises à attaquertuer tout le monde, véritieusement tout le monde.

Il a jeté un regard apeuré vers les marais.

— Je ne sais pas pourquoi. Mais leur redoutabuleuse...

Un énorme rugissement l'a interrompu. Derrière nous, au sommet de la côte, dominant les arbres à l'arrière-plan, se dressait un géant :

celui qui voulait me dévorer. Plus furieux que jamais, il agitait ses poings en l'air.

— Ah, te voilà! a-t-il beuglé. Hmm, je sens déjà le goût de tes petits os crrraquants.

Un des géants qui entouraient Shim lui a crié quelque chose, mais il a continué comme si de rien n'était :

— Aucun de ces mmmisérables petits hommes ne mmm'échappera, je vous le dis! Je vais tous les écrrrabouiller.

Il a commencé à avancer vers nous. Le ballymag, affolé, a rentré la tête dans l'écharpe. Hallia m'a pris par le bras et entraîné dans la pente à toute allure. Le sol tremblait sous nos pas.

— Rrreviens, petit homme! criait le géant.

Lancés dans une course folle, nous sautions par-dessus les rochers et les joncs. Le grondement s'amplifiait, le souffle rauque du géant se rapprochait, les secousses dans le sol devenaient de plus en plus violentes. Peu à peu, le terrain s'est aplani et les hautes herbes ont fait place à un sol dénudé avec, par endroits, des flaques d'eau et des plaques de boue, où nos pieds s'engluaient. Bientôt, la brume chargée d'odeur de pourriture a commencé à tourbillonner autour de nous. J'entendais des hurlements étranges... et un cri strident au loin, presque un rire, a résonné au-dessus des marais.

Tout à coup, Hallia a ralenti.

— Ses pas ! Ils se sont interrompus.

Elle avait raison. Alors, j'ai ralenti aussi. Nous nous sommes arrêtés sur un tas de tourbe entouré d'herbes brunâtres. Le moment était venu de reprendre notre souffle, même si l'air était irrespirable. D'épaisses vapeurs roussies par le soleil couchant se sont refermées derrière nous comme un rideau. Nous étions comme coupés du monde. Protégés, en quelque sorte, pour le moment... Mais bientôt, peut-être, prisonniers.

J'ai pris Hallia par le bras.

— Viens. Il faut trouver un abri avant la nuit.

— Oh misère de misère, terribuleux destin, horribuleuse fin ! a gémi le ballymag de sa cachette près de mon torse.

Nous sommes repartis à travers les hautes herbes, attentifs à tout mouvement suspect, par crainte des serpents ou d'autres créatures encore plus dangereuses. Peu à peu, des sons étranges se sont élevés autour de nous : des gargouillements d'un côté, des sifflements aigus de l'autre. Nous avancions péniblement à travers une plaine inondée où des plantes épineuses s'accrochaient à nos jambes. Hallia marchait pieds nus — bien que je lui aie proposé mes bottes — en tortillant nerveusement sa natte.

La brume s'est épaissie. Il faisait de plus en plus sombre. En traversant une flaque, j'ai marché sur quelque chose de dur qui, soudain, a bougé et j'ai piqué du nez dans une eau puante et vaseuse. Hallia m'a aidé à me remettre debout, mais j'ai glissé et suis retombé en arrière. Tandis que je me relevais avec peine, quelque chose s'est faufilé dans la manche de ma tunique.

— Ah! ai-je crié en donnant de grandes tapes sur ma manche.

J'ai roulé dans la flaque, avec cette chose qui grimpait le long de mon bras.

Finalement, je l'ai attrapée sur mon épaule et l'ai serrée de toutes mes forces à travers l'étoffe. Avec un petit claquement, la créature s'est ratatinée comme une soufflet qui se dégonfle et j'ai senti une substance gluante couler le long de mon bras. Quand je l'ai secoué, une forme sombre est tombée dans la flaque. Je suis reparti aussitôt, sans chercher à en savoir davantage.

— Monstrumain, a grogné la voix dans mon écharpe trempée de boue. Tu es véritieusement gauchedupied.

— Et toi, ballymag, ai-je rétorqué, tu as *véritieusement* mauvais caractère.

Hallia a secoué la tête.

— Du calme, vous deux, a-t-elle dit en retirant une touffe de roseaux de mes cheveux. Il fait de plus en plus noir, et la... Oh, écoutez !

Une vague plainte s'est fait entendre au loin, tandis qu'une odeur encore plus forte de chair en décomposition remplissait l'air. Cette voix pleine d'angoisse et de désespoir ne s'arrêtait pas. Puis, alors qu'Hallia et moi nous hérissions, d'autres se sont jointes, tout aussi plaintives. Leurs cris, leurs gémissements, de plus en plus forts, formaient un horrible chœur.

Le ballymag a sorti sa tête de l'écharpe.

— C'est... c'est les g-g-goules, a-t-il balbutié, faisant trembler tous les bourrelets de graisse autour de son cou. Elles sont en train de nous venirtuer.

Debout dans la fange jusqu'aux genoux, nous écoutions ce chant funèbre s'amplifier alors que s'éteignaient les dernières lueurs du jour. Soudain, non loin de là, un point lumineux est apparu au-dessus du marécage. Il clignotait légèrement, comme un œil blessé. Une deuxième lumière est apparue, puis une autre et une autre encore. Lentement, elles ont commencé à avancer vers nous.

— Oooh, misère de misère, a gémi le ballymag. Vite ! Suivez-moi vitafond !

Il a plongé de l'écharpe dans le marécage et s'est mis aussitôt à nager avec toute la puissance de sa large queue et de ses six membres. Fuyant les sinistres lumières, nous nous sommes élancés derrière lui.

Des branches mortes déchiraient nos vêtements, une boue épaisse nous collait aux pieds, tandis que l'air rance nous piquait la gorge et les yeux. Nous nous efforcions cependant de suivre le ballymag de près et de ne pas nous laisser rattraper par les goules.

Soudain, le sol est devenu plus sec et moins stable en même temps. Nous avions l'impression d'avancer sur une espèce de tapis végétal à la surface d'un lac. Il ondulait et tremblait sous nos pas. J'ai failli tomber, mais j'ai continué à courir. Les pinces du ballymag claquaient sur les herbes flottantes, comme nos pieds. Ses profondes inspirations concordaient aux nôtres.

Tout à coup, on ne l'a plus entendu. Il avait disparu ! Nous nous sommes arrêtés, inquiets et à bout de souffle. S'était-il évanoui ? Avait-il été capturé ?

— Où es-tu ? ai-je crié.

Pas de réponse.

Les lumières qui tremblotaient de tous les côtés nous avaient presque rattrapés, à présent. Les plaintes se sont changées en éclats de rire grinçants. Les voix enflaient, enflaient, telle une vague prête à nous engloutir.

Nous avons déguerpi au plus vite, trébuchant sur le sol instable. Les lumières étaient si proches, maintenant, que je voyais mon ombre devant moi. Les goules allaient se jeter sur nous... Nous traversions une grande flaque d'eau noirâtre quand, soudain, nous nous sommes enfoncés dans une boue profonde et visqueuse. Pas moyen de crier ni de nager. Avant même que j'aie pu prendre une dernière respiration, la boue s'était introduite dans mon nez et ma bouche. Je suffoquais.

Plein de rage et d'amertume, je me suis dit qu'Hallia allait se noyer avec moi, que mon épée n'accomplirait jamais sa destinée et que, parvenu si loin dans ma quête, j'allais tout perdre au fond d'un marécage abandonné...

# LE MOT

**D**e la boue… de la boue partout. Plus je me débattais, plus elle m'enveloppait, m'enserrait, pressée de m'avaler tout entier. Je ne sentais plus qu'elle sur ma peau, dans mes oreilles, mes narines. La boue, plus épaisse que n'importe quelle couverture, m'étouffais.

L'esprit de plus en plus obscurci, j'ai lancé un appel à Hallia, tout en sachant qu'elle ne pouvait pas m'entendre.

*Je regrette tellement que tu sois venue ! Pardon… mille fois pardon.*

J'ai supplié les puissances du cosmos, et même Dagda :

*Je vous en prie, oubliez-moi s'il le faut. Mais sauvez-la. Sauvez-la !*

Il y a eu une secousse, un bruit de succion… puis plus rien. Je suis tombé dans quelque chose. La tête me tournait toujours, mais mon corps, semblait-il, avait atterri quelque part. Au fond d'une montagne de saleté, sans doute. Le bras tordu sous moi, je n'avais pas la force de le bouger.

Je suis resté ainsi, immobile comme un cadavre, enseveli sous la boue.

Respirer. Il fallait que je respire. J'ai ouvert la bouche, plus par habitude que d'espoir. Je savais que je n'allais que goûter la boue dans un dernier souffle. Instinctivement, j'ai aspiré… de l'air ! Oui, c'était bien de l'air. J'ai recraché de la boue, inspiré avec effort, toussé, et inspiré de nouveau. Très lentement, mes forces ont commencé à revenir.

Je me suis retourné pour libérer mon bras et, dans l'obscurité, j'ai tâtonné autour de moi. J'étais allongé sur le côté, sur une surface douce, souple et élastique. J'ai enfoncé le nez dedans, humé ses arômes puissants : elle avait une bonne odeur fraîche et vivante.

Avec ma seconde vue, j'ai suivi les contours des parois qui m'entouraient. Elles étaient arrondies, comme celles d'une grotte. Une grotte de cristal, peut-être ? Pourtant, cette humidité, cette souplesse ne m'évoquaient rien de familier. En m'en approchant davantage, j'ai remarqué qu'un duvet de poils fins, terminés par un fruit en forme de prune, en tapissait la surface. Toutes les parois étaient ainsi recouvertes de milliers et de milliers de ces poils délicats.

Et ces poils bougeaient ! Ils se balançaient lentement le long d'innombrables chemins au rythme d'une musique qui leur était propre. J'avais l'impression d'être à l'intérieur d'une rivière, à la surface de laquelle coulaient une quantité de rivières plus petites, aussi étonnantes les unes que les autres. Le mouvement de tous ces poils produisait une sorte de chaleur, douce et apaisante, qui rayonnait sans lumière.

Ayant retrouvé mes esprits, je me suis redressé. J'étais appuyé sur les coudes lorsqu'une forte secousse a ébranlé la caverne. Le sol qui me portait s'est incliné et je n'ai rien pu faire d'autre que de me laisser glisser le long de la pente.

J'ai dégringolé à travers un dédale de couloirs sombres, enfilant les tournants les uns après les autres sans pouvoir m'arrêter. Plus je prenais de la vitesse, plus j'avais peur. Je rebondissais en douceur contre les parois, comme un caillou sur une pente moussue. Mais qu'est-ce qui m'attendait à la fin ? J'avais beau écarter les bras et les jambes pour essayer de me ralentir, je descendais toujours plus vite.

Tout à coup, j'ai débouché dans la lumière et atterri sur un coussin rembourré et élastique, lui aussi couvert de poils, qui m'a fait rebondir presque jusqu'au plafond d'une haute salle. J'ai rebondi ainsi plusieurs fois avant de m'arrêter. Enfin, j'ai pu m'asseoir.

À seulement une longueur de bras, une face ronde me regardait : une moitié dans l'ombre, l'autre dans la lumière verte et tremblante qui remplissait la pièce. Mais j'ai tout de suite reconnu ses moustaches : le ballymag! Et derrière lui, un autre visage que je ne m'attendais pas à revoir.

— Hallia! Tu es saine et sauve.

— Toi aussi, a-t-elle dit, soulagée.

Le ballymag a ronchonné.

— Typiquement monstrumain. Pas même un petiminimot de remerciement.

J'ai quitté Hallia des yeux avec peine.

— Oh mais oui, merci, bien sûr. Si tu n'avais pas connu cet endroit… Où sommes-nous, au fait? ai-je demandé en caressant le tapis moelleux.

— Des questions, des questions, a grommelé le ballymag en tapotant le sol avec deux de ses queues déroulées. Tout à l'heure plus tard, je répondrai peut-être. Mais pour le moment maintenant, c'est l'heure du désembarbouillage.

— Le *désembarbouillage*? ai-je fait, intrigué.

— Je crois savoir de quoi il veut parler, a répondu Hallia en riant. Et je suis bien de son avis.

J'ai regardée sans comprendre, mais elle s'est contentée de me sourire.

S'arc-boutant sur ses six bras, le ballymag a fermé les yeux pour se concentrer. Il a pris une profonde inspiration, puis s'est mis à fredonner un air aux intonations mélodieuses, qui montaient, ondulaient, serpentaient au même rythme que ses nombreuses queues. Et plus il chantait, plus la pièce devenait lumineuse, sans pour autant qu'on puisse dire d'où venait la lumière.

Venait-elle de l'air ? De la chanson elle-même ? D'un seul coup, j'ai compris. Elle venait de tous ces poils minuscules ! Leur extrémité se gonflait de lumière, brillait de plus en plus tout en se balançant et, en même temps, les murs, qui devenaient plus lumineux, changeaient de texture.

L'endroit prenait de plus en plus l'aspect d'une grotte de cristal. Une grotte très différente de celle que je rêvais de découvrir, et même d'habiter, un jour, mais elle avait quelque chose de magique et de merveilleux. Jamais on n'aurait cru que les Marais hantés puissent recéler de tels secrets. Je me suis demandé s'il y en avait d'autres.

Le ballymag a ouvert les yeux. Son chant s'est éteint lentement, tandis que ses échos résonnaient encore autour de nous. Puis, tout en regardant la lumière jouer sur nos visages maculés de boue, il a poussé un grognement — manifestement pas de satisfaction. Il m'a semblé pourtant que ses moustaches se relevaient légèrement... comme s'il y avait là l'esquisse d'un sourire.

Ensuite, il a commencé à s'activer. Se rapprochant du mur, il a déroulé toutes ses queues qu'il a étendues comme des doigts longs et fins presque jusqu'au mur. Il est resté ainsi un long moment. On aurait dit qu'il attendait quelque chose, comme un faucon immobile attentif au moindre souffle de vent sur ses plumes.

Tout à coup, l'extrémité d'une de ses queues a frémi. Très lentement, la vibration s'est propagée sur toute sa longueur. Une autre queue s'est mise à trembler et bientôt les autres ont fait de même. Au bout de quelques secondes, toutes scintillaient dans la lumière dansante de la pièce.

D'un coup sec, le ballymag les a fait claquer dans l'air et elles se sont mises à tourner à toute vitesse, au point de devenir invisibles. Au milieu, une cuvette d'un vert lumineux, un peu plus grande que le ballymag, a commencé à se former. Plus les queues tournaient vite, plus la cuvette prenait de consistance.

Peu de temps après, le ballymag a retiré ses queues, roulé sur le côté, et la cuvette s'est posée en douceur sur le sol. Hallia et moi nous sommes penchés au-dessus du bord, muets de stupéfaction : elle était remplie d'un liquide du même vert qu'elle et tout aussi rayonnant.

— De la lumière liquide ! me suis-je exclamé. Une cuvette de lumière liquide...

Le ballymag a plissé le front.

— Benquoi, il faut bien se désembarbouiller. Oh, miséricordition, qu'est-ce que j'ai fait pour avoir toujoursancesse des hôtintrus si stupidiots ?

Là-dessus, courbant le dos, il s'est projeté en l'air et a atterri dans la cuvette avec un gros plouf. Sans se soucier de nous, il s'est aspergé et frotté en fredonnant. Puis il a levé la tête, grogné de nouveau, et s'est hissé par-dessus bord avant de s'affaler sur le sol, propre comme un sou neuf.

C'était le tour d'Hallia. Je me suis détourné pour qu'elle puisse se dévêtir et se laver tranquillement, et j'ai obligé le ballymag à faire de même. Hallia a passé plusieurs minutes à barboter dans cette cuvette avec un plaisir évident. Une fois sortie du bain, elle a pris le temps de laver sa robe violette et le bracelet de bruyère qu'elle portait au poignet. Lorsqu'elle s'est présentée devant nous, elle était resplendissante.

Néanmoins, j'ai hésité à prendre la suite. Avec méfiance, j'ai retiré une botte et trempé mes orteils dans le liquide vert. Mon ombre, encore plus hésitante, attendait au bord de la cuvette.

Soudain, j'ai senti un frisson délicat, comme une pluie tiède se déversant sur mon pied. Alors, je me suis déshabillé et suis entré dans la cuvette — cette fois, avec un soupir de plaisir. C'est seulement à ce moment-là que mon ombre m'a suivi et s'est glissée à côté de moi. Je sentais déjà des picotements dans tout le corps, et pas seulement sur la peau. Mes os me paraissaient plus forts, mes muscles, plus réactifs, mes veines, purifiées. Et plus le temps passait, plus je me sentais nettoyé en profondeur. J'ai bientôt eu l'impression que tous les éléments de mon être étaient revivifiés.

Au bout d'un moment, je suis sorti. J'ai rapidement rincé mes vêtements, ainsi que mon bâton, ma sacoche en cuir et mon fourreau incrusté de pierres violettes — hélas, toujours vide. À ma grande surprise, après nos toilettes successives et toute la boue dont nous nous étions débarrassés, le liquide dans la cuvette était aussi clair qu'auparavant.

Je me suis rhabillé et tourné vers le ballymag.

— Je ne sais pas quelle magie tu as utilisée pour remplir cette cuvette, et nous-mêmes, de lumière liquide. En tout cas, c'était merveilleux. Et, si je ne t'ai pas remercié tout à l'heure comme tu le méritais, je le fais à présent de bon cœur.

Ses queues se sont enroulées et déroulées toutes ensemble.

— Pas de blablaflatteries, monstrumain.

— C'est vrai, a renchéri Hallia, appuyée contre la paroi douce et luisante. Il y a en toi et dans ce lieu une formidable magie. J'ignorais qu'un tel endroit existait. Quand je pense qu'il est situé juste en dessous de cet horrible marécage ! C'est vraiment l'opposé... même s'il y est lié d'une certaine façon.

J'ai passé une main sur les bords animées du plancher.

— C'est si beau, si verdoyant, ici, ai-je poursuivi. On se croirait un peu dans un jardin. Non, non, pas un jardin... plutôt un ventre maternel.

— Oui, exactement, a acquiescé Hallia, enchantée de cette comparaison. C'est comme si on était dans le ventre maternel.

— Pas tout à fait, cependant, ai-je repris en m'approchant d'Hallia. Peut-être est-ce, en fait, une de ces choses qu'on ne peut tout simplement pas réduire à un seul mot.

— Absurditudité, a grommelé le ballymag. Il y a un mot parfaitexprès pour ça.

— Bon, eh bien dis-le, ai-je lancé, agacé. Qu'est-ce que c'est ?

Les moustaches du ballymag se sont légèrement relevées.

— Mouellicieux.

 DEUXIÈME PARTIE

## ≈ XI ≈

# UNE TRACE
# DANS LE CŒUR

Nous avons dormi, pelotonnés douillette-
ment contre les parois de la demeure
souterraine du ballymag. Quand je me suis
réveillé — au bout de combien d'heures, je ne
saurais le dire —, j'avais le ventre creux et une
raideur douloureuse entre les omoplates. Hallia
était assise à côté du ballymag. Tandis que je
m'étirais, elle m'a tendu un épais rouleau brun.
C'était une feuille, farcie d'une substance pâteuse
à l'odeur de miel, de noix... et de boue.

Affamé que j'étais, j'en ai pris plusieurs bouchées coup sur coup. Le ballymag m'observait,
attendant mes commentaires. Ses queues s'enroulaient et se déroulaient de façon rythmique.

— C'est très... nourrissant, ai-je déclaré, soucieux de ne pas offenser notre hôte.

— Tu peux me remercifier, a-t-il répondu,
tout fier, en tortillant ses moustaches. Cette
friandise, rangéprise dans mes réserves d'hiver,
s'appelle croquiglouton.

— Croquiglouton, ai-je répété, avant d'avaler une bouchée avec difficulté.

Le ballymag a rempli un bol à l'aide de trois pinces.

— Tiens, boigoûte pour le fluiduméfier, a-t-il proposé en me présentant le bol en bois, posé sur son ventre rebondi comme sur une étagère.

— Eh bien…

J'avais vraiment de la peine à avaler. Hallia a pris une gorgée de son propre bol et m'a encouragé :

— Ça ressemble à de la soupe épicée, mais froide. Goûte.

J'ai pris le bol et inspecté son contenu. Sur la surface claire du bouillon, j'ai vu mon reflet. Mon visage, mes cheveux avaient pris les teintes vertes des murs autour de moi. J'ai porté le bol à mes lèvres et j'ai bu. C'est d'abord un goût de girofle ou d'anis qui m'a inondé la bouche, puis un goût de souci, celui qui pousse dans les zones humides ; et aussi un parfum prononcé de champignon, mêlé à celui du gingembre. J'ai lancé au ballymag un regard approbateur.

— Tu as ramassé tous les ingrédients toi-même ? Là-haut, dans les marais ?

À ma grande surprise, il a plissé les yeux et repris son air apeuré. Ses queues se sont recroquevillées frileusement.

— Un jour, bientôtsoupeu, elles s'en apercevoiront et tueront nous horribuleusement.

J'ai secoué la tête.

— Vraiment, je ne comprends pas.

J'ai observé le plafond de la pièce, ses vagues de lumière qui s'écoulaient telle une chute.

— Pourquoi voudraient-elles nous tuer ? ai-je ajouté.

Hallia, qui buvait sa soupe à petites gorgées, est intervenue.

— Parce que ce sont des goules.

— Non, non, il y a autre chose. Tu as entendu ce qu'a dit cette femme dans la forêt : avant, elles n'étaient pas aussi agressives.

— C'est la véritévraie, a confirmé le ballymag en se caressant les moustaches. Parcontre-cependant, maintenant, elles sont archibeaucoup férocisantes.

Hallia a reposé son bol, le visage sombre.

— Les goules sont peut-être pires en ce moment pour je ne sais quelle raison, mais elles ont toujours été le fléau des marais. Même dans les temps anciens, quand les gens de chez nous se rendaient à l'Arbre-Flammes, elles faisaient toujours en sorte que certains ne reviennent jamais.

— L'Arbre-Flammes ? Qu'est-ce que c'est ?

— Une merveille. Un arbre qui brûle au cœur des Marais hantés depuis les premiers pas du premier faon sur cette terre. Il y a longtemps, lorsque les Fincayriens avaient encore des ailes, les hommes-cerfs étaient très nombreux, si nombreux qu'ils vivaient partout où poussait l'herbe, paraît-il, jusque sur les rivages de l'Île oubliée, à l'extrême ouest. Sauf dans un endroit : ici, dans ces marais. Pour prouver leur courage quand ils atteignaient l'âge adulte, les jeunes hommes-cerfs, garçons et filles, y venaient seuls et passaient trois jours entiers près de l'Arbre-Flammes. Même si les goules ne sortent que la nuit, elles en ont tué beaucoup, a-t-elle fini en fronçant les sourcils.

— C'est pour ça que le rite a été abandonné ? ai-je demandé.

Elle a secoué ses longs cheveux et baissé les yeux.

— Ça, d'après mon père, c'est à cause de la même cruauté que celle qui nous a coûté nos ailes à tous. Si votre espèce a été condamnée à se rappeler sa chute par une douleur dans le dos, là où les ailes auraient pu pousser, la mienne a reçu une autre sorte de châtiment. Pour nous, l'Arbre-Flammes, symbole de notre courage et de notre liberté perdus, est toujours dans nos rêves. Bien que de nombreuses générations soient passées depuis, on raconte que n'importe lequel d'entre nous pourrait encore retrouver le chemin pour s'y rendre, car la trace est restée à jamais gravée dans nos cœurs.

Tout en songeant à ses paroles, j'ai remué les épaules. À ma grande consternation, mon ombre s'est éloignée d'un bond et s'est mise à danser sur les parois lumineuses, exécutant toutes sortes de pirouettes et autres sauts, légère comme une graine emportée par le vent. Personne n'a semblé le remarquer, mais je savais que ma seconde vue ne m'avait pas trompé. Cette ombre, une fois de plus, se moquait de moi et je n'avais qu'une envie : l'arracher et la jeter au loin, à l'autre bout des marais !

Hallia a levé la tête au moment où cette maudite ombre revenait se mettre près de moi.

— Maintenant, tu comprends pourquoi je ne suis pas surprise du comportement des goules aujourd'hui. Ce sont d'horribles créatures. Il n'y a rien de bon en elles.

— Rien du tout ?

Je me suis buté contre ses mots.

— Tu en es sûre ? ai-je ajouté.

— Tu ne les connais pas.

J'ai serré les lèvres.

— Plus que tu ne le penses. Il y a longtemps, dans les terres les plus désolées qu'on peut imaginer, j'ai failli être tué par une créature qui avait une très mauvaise réputation. Personne ne lui faisait confiance, y compris moi. Mais plus tard, quand j'ai eu l'occasion de la tuer, je ne l'ai pas fait, parce que j'avais découvert quelque chose en elle qui méritait le respect.

Elle m'a regardé, incrédule.

— Et quelle était cette créature ?

— Un dragon.

J'ai vu son expression changer lentement.

— Celui qui ensuite est devenu le père de Gwynnia, ai-je renchéri.

Elle a avalé sa salive. Puis, pleine d'admiration, elle m'a contemplé un long moment.

— Jeune faucon, tu feras un bon enchanteur plus tard.

— C'est ce qu'on dit.

Tout en m'observant, elle s'est mise à tresser ses cheveux.

— Je ne voulais pas te perturber. Mais n'est-ce pas toujours ton rêve de devenir un enchanteur ?

— Oui, oui. C'est juste que, ces temps-ci, tout le monde semble voir mes rêves mieux que moi-même.

Elle a arrêté son tressage.

— Ce sont quand même les tiens. Tes propres visions du futur. Tu peux les changer si tu le souhaites.

— Je ne le souhaite pas, tu le sais bien ! En revanche, le futur, lui, peut changer. Depuis des années maintenant, l'image qui m'apparaît quand je sonde l'avenir est celle d'un enchanteur... oui, d'un grand enchanteur. Voilà ce que je vois. Ou du moins, ce que je *veux* voir.

Je me suis mordillé la lèvre un moment avant de poursuivre :

— Mais... si ça ne se réalisait pas ? Ce n'est peut-être qu'une fausse vision depuis le début.

— Peut-être, a-t-elle répondu. Ou peut-être pas.

— Il faudrait partir, maintenant, ai-je dit en soupirant.

Elle a hoché la tête en terminant d'attacher sa tresse.

Soudain, le ballymag a sauté sur ses genoux et gémi avec des yeux suppliants.

— Oh, nonon, s'il vous plaît, pas moipôvre-demoi ! Trop de risquépérils.

— Ne crains rien, a répondu Hallia en lui caressant le dos.

Elle a ensuite enlacé ses doigts doucement autour d'une de ses queues.

— Tu as déjà fait beaucoup pour nous, et tu nous as offert un cadeau que nous n'oublierons jamais.

Le ballymag s'est serré contre elle et a poussé un cri aigu qui a résonné dans la pièce lumineuse.

— Euh… vous avez fait trèsbeaucoup pour secourister ma trendrevie. Sauf qu'ensuitaprès, a-t-il ajouté en me regardant et en faisant claquer deux pinces, tu as failli estropituer moipôvredemoi.

— Toutes mes excuses. Si nous devons nous séparer, alors que ce soit en amis, ai-je dit en lui tendant la main.

Le ballymag m'observait, méfiant. Soudain, d'un coup de queue fulgurant, il m'a envoyé une gifle si violente que je suis tombé contre le mur. Avant que j'aie pu me rétablir, il avait sauté des genoux d'Hallia et disparu dans une fente du sol. Nous avons entendu son corps glisser dans des tunnels humides, puis plus rien.

Hallia m'a caressé la joue avec des yeux rieurs.

— À mon avis, ce n'est pas sa façon habituelle de dire au revoir.

— Il doit réserver ça à ses meilleurs amis, ai-je maugréé.

Nous sommes restés un moment à contempler les belles surfaces vertes et lumineuses qui nous entouraient. Sans doute ne reverrions-nous jamais un tel endroit. Puis, à l'autre bout de la pièce, nous avons aperçu l'entrée d'un large couloir qui semblait monter.

— C'est par là que nous devons aller, je pense. Tu es prête ?

— Non, a répondu Hallia à mi-voix. Mais je viens quand même.

Nous sommes entrés dans le couloir qui, bientôt, s'est rétréci, nous obligeant à marcher à quatre pattes, puis de ramper. La lumière verte des parois a progressivement cédé la place aux ombres tentaculaires qui, peu à peu, gagnaient du terrain. L'air s'est alourdi, envahi par une odeur de pourriture.

À un moment, Hallia a hésité et essuyé ses yeux larmoyants avec sa manche. J'allais parler, mais, d'un regard sévère, elle m'a arrêté et nous avons repris notre ascension dans la pénombre. Tout à coup, nos deux têtes se sont heurtées à quelque chose. Une surface visqueuse, à la fois dure et flexible, comme une écorce d'arbre. Un bloc de tourbe, sans doute. Je me préparais à le pousser de côté, quand Hallia m'a pris la main.

— Attends... Juste un instant, avant de sortir.

— Par Dagda, ai-je dit tout bas, je préférerais ne pas quitter cet endroit.

— Je sais. C'était si rassurant, si calme, en bas... Je ne m'étais pas sentie si bien depuis longtemps. En fait, depuis le jour où nous nous sommes assis sur la plage tous les deux, sur le rivage des ancêtres de mon clan. Tu t'en souviens ?

J'ai pris une lente inspiration, pensif.

— Le rivage où les fils de brume ont été tissés.

— Oui, par le plus grand des esprits lui-même, a-t-elle murmuré. Mon père disait que Dagda avait utilisé comme aiguille la trace d'une étoile filante. Il a tissé ainsi une tapisserie vivante, s'étendant à l'infini et contenant tous les mots jamais prononcés et toutes les histoires jamais racontées. Dans chacun de ces fils brillants, il y avait des mots mais aussi quelque chose d'unique, d'insaisissable, de mystérieux.

Tout en écoutant Hallia, je pensais à ma propre histoire, à ma place dans la tapisserie. Étais-je un tisserand ? Ou simplement un fil ? Ou peut-être une espèce de lumière à l'intérieur du fil, capable de le faire briller ?

— Un jour, Hallia, nous retournerons sur ce rivage, et sur d'autres encore. Mais pas maintenant, ai-je ajouté.

J'ai retiré ma main de la sienne et, en poussant de toutes mes forces avec les épaules, j'ai soulevé le bloc au-dessus de nos têtes. La tourbe s'est décollée avec un bruit de succion. Une coulée d'eau boueuse a dégouliné sur nous, accompagnée d'une nouvelle vague d'odeurs putrides. Hallia est sortie en crachotant et en rampant. Je l'ai suivie, et j'ai laissé le bloc de tourbe retomber derrière nous.

## ∽ XII ∽

## TROP CALME

**L**es marais étaient étrangement calmes, comme un cœur en suspens. Disparus, tous les gémissements, plaintes, sifflements et autres grincements. Les pieds enfoncés dans la boue, le regard hésitant, nous avons fait nos premiers pas dans le marécage.

Les vapeurs qui s'élevaient de tous côtés formaient des nœuds de brume dans un mouvement sans fin. À en juger par la vague lumière qui filtrait à travers les nuages, on devait être en fin d'après-midi. En tout cas, j'étais content qu'il fasse assez clair pour maintenir les goules à distance, même si ce répit devait être de courte durée. Je savais que l'obscurité ne tarderait pas à revenir, plus épaisse encore que la boue sur mes bottes. Et les goules reviendraient également.

Nous écoutions le silence étrange. Le marais, réceptacle inerte de matières en décomposition, paraissait mort et vide. Quelle différence avec le sous-sol si vivant que nous avions quitté ! Pendant un court instant, j'ai repensé aux agréables frissons que m'avait procurés la lumière liquide : sur les bras, le bas du dos, la plante des pieds. Mais ce souvenir s'est vite évanoui au contact de l'eau boueuse qui s'infiltrait dans mes bottes.

Hallia s'est approchée de moi, ce qui a causé des ondes dans la vase.

— C'est trop calme, a-t-elle dit.

— Oui, et trop silencieux, ai-je ajouté.

Je me suis concentré pour voir le plus loin possible. De l'autre côté de la mare fangeuse où nous étions, une grue solitaire attendait, perchée sur un rocher moussu, prête à s'envoler à la moindre alerte. Plus loin, un arbre noueux, penché à la limite de la chute, résistait encore. Il était blanc comme un squelette, avec seulement quelques lambeaux d'écorce sur le tronc et une masse de feuilles mortes accrochées à l'une de ses branches.

Pendant un très bref instant, une odeur particulière a retenu mon attention. Contrairement à toutes les autres, celle-ci sentait presque bon. Bien que très fugitive, elle m'a rappelé un parfum de fleur. Oui, c'est cela, un parfum de rose.

— Où allons-nous maintenant, a demandé Hallia ?

J'ai essayé encore une fois d'évaluer la clarté. Le jour baissait.

*Au moins*, me suis-je dit, *je ne serai plus agacé par mon ombre.*

D'autres ennuis plus graves nous attendaient, sans aucun doute, mais je ne voulais pas y penser.

— Le mieux est de trouver un endroit pour passer la nuit, ai-je répondu en indiquant l'arbre penché. Là-bas, derrière cet arbre mort, il y a une hauteur.

— Assez sèche pour échapper aux serpents ?

— Je crois. Tout ce que je vois, c'est un massif d'arbustes, avec des baies rouges, semble-t-il.

Hallia a suivi mon regard.

— Ta vue est bien meilleure que la mienne dans cette brume, s'est-elle lamentée. Je ne vois même pas l'arbre, et encore moins ce qui est derrière.

J'ai déplacé mon poids, ce qui a fait se déplacer l'eau autour de ma botte.

— Les choses les plus importantes, je ne les vois pas non plus, ai-je soupiré.

Nous nous sommes mis en route, péniblement. Nos pas résonnaient dans tout le marécage. Au lieu de rompre le silence, ils semblaient l'amplifier plutôt, le rendre plus pesant. Après chacun de nos pas, le silence reprenait sa place, comme s'il nous suivait inlassablement.

Nous tâchions d'éviter les branches mortes flottant à la surface. J'en ai vu une à laquelle était encore accrochée une feuille éclairée par le demi-jour. Je me suis arrêté pour l'observer. Elle se balançait lentement comme un drapeau oublié depuis longtemps. La pulpe avait pratiquement disparu; seules les délicates nervures rappelaient sa forme d'origine. J'ai mis ma main derrière elle et je fus surpris de constater à quel point malgré le nombre impressionnant de trous, la feuille conservait sa forme originale. Comment une si grande partie d'elle pouvait être visible et invisible tout à la fois?

Soudain, Hallia a poussé un gémissement. Je me suis aussitôt retourné. Immobile, elle fixait quelque chose en bordure du marécage. En m'approchant, j'ai découvert une carcasse en décomposition. Ce qui subsistait de la peau était brun et gris. Une patte tordue, dépouillée de sa chair, tendait vers nous un sabot taché de sang.

Hallia a gémi de nouveau et appuyé son visage contre mon épaule.

— Un cerf... pauvre bête. Comment peut-on faire une chose pareille?

L'horrible scène me laissait sans voix, l'image de la feuille brillant au soleil maintenant remplacée par celle de la scène répugnante. Au bout d'un moment, nous avons repris notre marche laborieuse sans un regard en arrière. À part le bruit de nos pas, nous n'entendions de nouveau que le silence. Mais, à présent, c'était clairement le silence de la mort.

Nous avons traversé un monticule de tourbe qui bougeait à chacun de nos pas, avant de nous enfoncer dans le champ de hautes herbes entourant l'arbre penché. Arrivés près de l'arbre, Hallia s'est adossée au tronc pendant que j'essayais de repérer un chemin pour accéder à la hauteur aperçue un peu plus tôt. Pour trouver, je l'espérais, un endroit sûr. Ayant trouvé un tracé qui me semblait convenir, j'ai écarté les brins de gazon cassants qui m'arrivaient à la poitrine et je me suis tourné vers Hallia.

Tout à coup, le cri aigu de la grue a retenti à travers le marécage. Elle s'est envolée de son perchoir en fouettant le brouillard de ses grandes ailes argentées. Intrigué, j'ai parcouru les herbes du regard, cherchant ce qui avait pu lui faire peur, mais je n'ai rien vu. Hallia aussi était intriguée, manifestement, et même inquiète.

J'ai tendu l'oreille : les battements d'ailes de la grue se sont éloignés petit à petit, absorbés par le silence, puis il m'a semblé entendre un autre bruit... Était-ce juste l'écho du vol de l'oiseau ? Non, c'était plus proche. Beaucoup plus proche. Et rythmé, comme une respiration courte et irrégulière.

Au même instant, quelque chose est tombé de l'arbre et j'ai reçu un grand coup dans le dos qui m'a projeté, tête la première, dans les herbes.

De la boue a éclaboussé tout autour de moi. Sans me laisser le temps de me relever, un individu maigre et nerveux perdu dans une masse de haillons m'a saisi à bras-le-corps. Nous avons roulé dans la boue, chacun luttant pour prendre le dessus. Les couches de vêtements m'empêchaient de voir mon adversaire et surtout de l'agripper. Finalement, je me suis retrouvé plaqué au sol, un bras tordu dans le dos. Une main vigoureuse me serrait le cou.

— Rends-toi, si tu tiens à la vie, a aboyé une voix.

J'avais de l'eau plein la bouche et ne pouvais répondre que par des crachotements. Mon assaillant m'a tordu le bras encore plus fort. J'ai cru qu'il allait me casser l'épaule. J'ai fini par lâcher d'une voix rauque :

— Je... aïe... me rends !

— Dis à ton amie d'en faire autant.

Avec la rapidité d'un cerf, Hallia a bondi du tronc et foncé sur l'agresseur qu'elle a expédié dans les herbes. Je me suis relevé aussitôt et élancé vers lui. Instinctivement, j'ai voulu saisir mon épée, croyant déjà entendre sonner la lame magique. Mais je me suis soudain rappelé que je ne l'avais plus... Alors, j'ai pris mon bâton et je l'ai brandi au-dessus de la forme recroquevillée.

— À présent, dis-nous ton nom.

— Et pourquoi tu nous as attaqués, a ajouté Hallia, qui lui maintenait les jambes avec son pied.

Du tas de haillons a lentement émergé un visage. Pas celui d'un guerrier gobelin ni d'un bandit de grand chemin. Non, rien de tout cela.

C'était celui d'un jeune garçon.

# ∽ XIII ∽

## ANTOR

**L**e garçon nous a regardés, le visage plein d'angoisse. Bien que maculées de boue, ses joues paraissaient naturellement roses. Au-dessus de ses yeux bleus au regard dur pendaient des boucles blondes, à peine visibles à cause de toutes les brindilles, fougères et paquets de boue pris dans ses cheveux. Ses vêtements en lambeaux pendaient sur lui comme des pétales fanés, lui donnant l'air d'un vieux mendiant. Pourtant, il ne devait pas avoir plus de douze ans.

La douleur dans mon épaule excitait ma colère.

— Ton nom, ai-je répété en agitant mon bâton.

— C'est, euh...

Il s'arrêta un instant pour s'humecter les lèvres.

— Antor, monsieur. Et je n'avais pas l'intention de vous tuer, a-t-il ajouté.

Il essayait de bouger sa jambe sous le pied d'Hallia qui appuyait dessus de tout son poids.

Je me suis hérissé.

— Tu mens.

— Je, euh… enfin, c'est pas vous que je voulais attaquer, a-t-il gémi. Je ne savais pas que vous étiez un homme. Je pensais que vous étiez un gobelin, ou pire. Vous n'allez pas me faire mal avec ça, hein ? a-t-il ajouté, fixant d'un œil inquiet mon bâton et les curieux signes qui y étaient gravés.

– Non. Pourtant, rien ne m'empêcherait en toute justice de te traiter avec la même gentillesse que celle dont tu as fait preuve envers moi, ai-je lancé en me frottant l'épaule.

— Je suis désolé, vraiment désolé. J'ai été, euh, un peu brutal avec vous.

Hallia a retiré son pied de la cuisse du garçon.

— Plutôt, oui, a-t-elle dit.

J'ai observé le gamin pensivement. Il y avait quelque chose chez lui qui, malgré mon corps meurtri, m'incitait à l'indulgence. J'ai eu tout de suite envie de lui donner une deuxième chance, même s'il ne le méritait pas.

— Je peux comprendre ton trouble, sinon ton effronterie, ai-je dit en glissant le bâton dans ma ceinture. Ce marécage est un peu effrayant.

— Oui, c'est vrai, a confirmé Antor, les yeux baissés.

Je lui ai tendu la main pour l'aider à se relever.

— Ne t'en fais pas, mon garçon. Tout le monde a le droit de faire une erreur de temps à autre. Ça m'est arrivé plus d'une fois, sois tranquille.

Ses lèvres ont esquissé un timide sourire.

— Vous me faites penser à... à quelqu'un que je connais.

— J'espère que tu ne lui sautes pas dessus du haut d'un arbre pour lui dire bonjour.

— Seulement le mardi, a dit le garçon en plaisantant avec un sourire plus franc.

— Bon, alors mettons que nous soyons mardi. Ainsi j'aurai au moins une semaine pour laisser à mon pauvre corps le temps de récupérer.

Il avait l'air content.

— D'accord.

Hallia s'est avancée vers nous, ses pieds nus faisant craquer les herbes sèches.

— Décidément, les hommes sont bien étranges. Néanmoins, je vais te dire mon nom, puisque tu nous as dit le tien. Je m'appelle Éo-Lahallia, mais mes amis m'appellent Hallia. Et lui, a-t-elle ajouté avec un petit signe de tête dans ma direction, on l'appelle jeune faucon. Il a aussi d'autres noms, a-t-elle ajouté, voyant que j'allais protester, mais celui-ci est, je crois, son préféré.

Elle m'a souri.

— En effet, ai-je confirmé doucement.

Antor a hoché la tête.

— Je suis content de faire ta connaissance, Hallia. Et la tienne aussi, jeune faucon.

J'ai observé attentivement le visage du jeune garçon, qui semblait rempli d'espoir malgré l'obscurité grandissante. Pourquoi éprouvais-je l'étrange envie de l'aider, et même de le protéger ? Après tout, il ne m'avait pas ménagé quelques instants plus tôt. Je me suis demandé, en levant les yeux vers l'arbre où il s'était caché, si ce sentiment était lié à mes souvenirs personnels — moi aussi, je m'étais parfois réfugié dans les arbres. Ou s'il venait d'autre chose, de quelque chose de mystérieux que je ne saisissais pas bien.

Les yeux dans les yeux, je lui ai demandé :

— Qu'est-ce qui t'a amené ici ? Tu es perdu ?

Le jeune garçon a retiré une tige de fougère détrempée de son cou.

— Non... enfin oui. Je suis venu chercher...

Il s'est détourné avant de continuer.

— ... quelque chose que je ne peux pas nommer. Je vous le dirais, si je pouvais, je vous assure, mais il m'a fait promettre.

— Qui ?

— Mon maître.

— Alors dis-nous qui est ton maître ? ai-je demandé en baissant un peu le ton.

Un vent soudain a sifflé dans les hautes herbes et fait se mouvoir les vêtements en lambeaux d'Antor. L'arbre mort a craqué une fois et s'est penché dangereusement.

— Qui est-ce ? ai-je insisté.

— Je, enfin… je ne peux pas vous le dire non plus, a-t-il répondu après s'être mordu la lèvre.

Hallia a penché la tête d'un air soupçonneux.

— Alors que peux-tu nous dire ?

Antor se balançait nerveusement d'un pied sur l'autre, ce qui envoyait des petites giclées de boue de chaque côté.

— Je peux vous dire que… que je suis perdu.

— Quelle révélation ! ai-je lancé d'un ton sarcastique.

— J'aimerais bien vous en dire davantage, a-t-il dit, les yeux brillants. Croyez-moi, je n'ai aucune envie de passer encore une nuit, pas même une minute de plus, dans ce maudit marécage. Mais maintenant j'ai l'impression que je vais manquer à ma mission, à mes devoirs envers mon maître et… je ne veux pas en plus manquer à ma parole.

Devant un tel sens de l'honneur, ma sympathie pour ce garçon s'est trouvée renforcée.

— Alors, garde tes secrets. Mais si tu ne nous dis pas où tu vas ni ce que tu cherches, nous ne pouvons pas t'aider.

Il a hésité un instant. Puis, avalant sa salive, il a déclaré :

— Dans ce cas, je devrai me passer de votre aide.

Il a redressé ses épaules avant d'ajouter :

— Mais pourriez-vous quand même me dire juste une chose ?

— Ça dépend.

Il a jeté un regard inquiet à la brume qui s'accrochait à nos jambes et s'enroulait autour de nos bras. Il a murmuré :

— Quelques minutes avant votre arrivée, tout le marécage est devenu brusquement silencieux. Vous entendez ? Pas un coassement de grenouille. Même les autres bruits ont disparu. C'est pour ça que je suis monté dans l'arbre. Vous savez ce qui s'est passé ? Ce que ça signifie ? a-t-il terminé en fronçant les sourcils ?

— Non, mais je pense que c'est mauvais signe.

Hallia a tendu l'oreille.

— À mon avis, c'est causé par un sortilège.

— Nous pourrions peut-être faire un bout de chemin ensemble, non ? a suggéré Antor, de plus en plus inquiet.

— Non, ai-je répondu en faisant non de la tête. Ce que nous avons à faire est trop dangereux. Si tu restes avec nous, tu risques ta vie.

— Et puis il faudrait que nous en sachions beaucoup plus sur toi, a rappelé sèchement Hallia.

Sa méfiance envers ce garçon me chagrinait. Mais elle avait raison. À la vérité, je ne savais pas grand-chose de lui, si ce n'est qu'il s'était caché dans un arbre et m'avait sauté dessus. Résigné, je lui ai tendu la main.

— Bonne chance, Antor.

Il a hoché la tête d'un air morose. Lentement, il a levé la main et serré la mienne. Malgré sa petite taille, sa poigne était ferme. J'ai senti qu'il ne voulait pas montrer sa peur.

— Très bien, a-t-il dit d'un ton décidé. J'ai déjà tenu plusieurs jours ici, et je peux tenir quelques-uns de plus.

Je voyais qu'il se sentait moins courageux qu'il en avait l'air, mais je n'ai rien dit. Il est parti à grandes enjambées dans la direction opposée à celle que je comptais prendre.

— Sois prudent, ai-je crié. La nuit va bientôt tomber.

Sans se retourner, il a agité la main.

— C'est un garçon très brave, ai-je marmonné en le regardant s'éloigner.

— Un sournois, si tu veux mon avis, a dit Hallia, qui l'a suivi des yeux jusqu'à ce qu'il disparaisse dans la brume. Je suis soulagée qu'il soit parti.

— Secret, oui. Mais sournois? Je n'en suis pas si sûr. C'est vrai, rien ne nous dit qu'on peut se fier à lui, mais c'est peut-être juste...

— Quoi?

— ... quelqu'un qui aime profondément son maître et ferait n'importe quoi pour lui, même s'il s'agit de traverser seul ce marécage.

— Pff, a-t-elle fait. Les cerfs incapables de partager leurs véritables motivations ne peuvent pas courir ensemble.

Il ne restait maintenant plus aucune trace du garçon. J'avais beau le chercher du regard, je ne voyais que des tourbillons de brume. Puis, petit à petit, j'ai remarqué un changement. Pas dans les marais, toujours aussi immobiles et silencieux, mais dans la brume elle-même dont les mouvements n'étaient plus aussi fluides et qui, elle aussi, peu à peu, se figeait.

Tout à coup, un bourdonnement strident a brisé le silence, tandis que les vapeurs se remettaient à tourbillonner. Hallia et moi nous sommes réfugiés contre l'arbre. Le bruit semblait venir de partout à la fois, des nuages autant que de la terre. Progressivement, il devenait plus intense, plus discordant et plus fort. Il semblait accompagné d'un très léger parfum — mais peut-être me trompais-je. Un doux parfum de rose.

C'est alors que, des nuages, a surgi un essaim de scarabées, dont chacun était aussi gros que ma tête. J'avais à peine attrapé mon bâton que, déjà, ils fondaient sur nous. Ils attaquaient de tous les côtés, toutes pinces dehors. Leurs ailes transparentes fendaient l'air dans un bruit assourdissant, au point que je ne m'entendais plus penser.

J'ai essayé de les repousser à grands coups de bâton et réussi à en écraser un qui fonçait vers mon visage. Sa carapace violette a volé en éclats et il a plongé dans la boue. Je levais à nouveau mon bâton quand trois autres scarabées m'ont frôlé, cherchant à me griffer aux mains et aux yeux.

Hallia est tombée en arrière contre l'arbre en hurlant. Deux de ces insectes lui tournaient autour à la recherche d'une ouverture pour atteindre son visage, tandis qu'elle agitait désespérément les bras pour s'en protéger. Délaissant mes propres agresseurs, j'ai brandi mon bâton. L'un des deux scarabées, frappé en plein vol, est tombé en vrille dans le marécage. Mais il n'y avait pas de quoi se réjouir. L'autre scarabée allait revenir à la charge et je n'avais pas le temps de le frapper de mon bâton !

L'autre scarabée s'est jeté sur Hallia. Ses ailes l'ont frappée à l'avant-bras, et le sang a jailli. Elle a reculé le bras, laissant la moitié de son visage à découvert. L'insecte a viré brusquement et visé les yeux.

Soudain, j'ai entendu un sifflement suivi d'un *flac*. Le scarabée a explosé en l'air, à un cheveu du visage d'Hallia, tandis que des fragments de carapace s'envolaient vers les hautes herbes. Je me suis retourné, et j'ai vu Antor, une fronde rudimentaire à la main, qui me regardait.

— Attention ! a-t-il hurlé.

Des griffes m'ont éraflé l'oreille. J'ai crié et chassé la bête avec la main, mais elle est tombée sur ma poitrine. Avec un bourdonnement furieux, elle a arrondi le dos, et j'ai vu son dard : un énorme dard barbelé, gros comme mon poing.

Plusieurs autres scarabées sont venus lui prêter main forte, se bousculant pour m'atteindre au visage. En désespoir de cause, j'ai sollicité la partie la plus profonde de moi : la plus calme, même dans de telles circonstances, la plus primitive, la plus mystérieuse et la plus proche des éléments.

*Air autour de moi !* ai-je crié intérieurement, avec toute la force de ma volonté. *Chasse-les. Emporte-les au loin. Très loin d'ici !*

Une soudaine bourrasque a balayé l'air. Les scarabées se sont mis à bourdonner frénétiquement en agitant leurs ailes et leurs pattes pour résister au tourbillon, mais sans succès. Le vent,

qui les repoussait loin de nos corps recroque-
villés, était beaucoup trop fort pour eux.

Le scarabée sur ma poitrine, cramponné à ma
tunique, a tenu bon un peu plus longtemps que
les autres et dirigé son dard vers mes côtes. J'ai
cru qu'il allait me transpercer la peau, mais, à
mon grand soulagement, la pointe s'est arrêtée
juste au-dessus du tissu. De son extrémité a coulé
un fil doré étincelant, fin comme un fil d'araignée, qui s'est étiré puis enroulé en boucle et, en
un clin d'œil, s'est fondu dans les plis du tissu.
Je n'ai rien senti. Tout s'est passé si vite que je
n'étais même pas sûr de ce que j'avais vu.

Le vent a arraché le scarabée de ma tunique
et l'a emporté avec le reste de l'essaim au-dessus
des marais. La masse grouillante d'insectes
volants, ventre en l'air et ailes écartées, s'est éva-
nouie dans le brouillard et les bourdonnements
se sont tus.

Pris d'une soudaine faiblesse, j'ai senti mes
jambes se dérober sous moi et je me suis effondré
dans une flaque d'eau. Les hautes herbes me
piquaient le visage, mais je n'avais pas la force de
les repousser. C'était tout juste si je pouvais me
tenir assis.

Hallia s'est précipitée vers moi et a posé la
main sur mon front.

— Tu es blessé ?

— Pas vraiment. Je… je me sens seulement faible.

— Tu as dû épuiser tes forces à provoquer ce vent, a-t-elle dit d'une voix douce mais aussi inquiète. Tu devrais te reposer un moment.

Antor nous a rejoints après avoir repoussé une branche à moitié immergé d'un coup de pied.

— Ça, c'était un joli coup, a-t-il lancé, admiratif. Je ne suis pas sûr que mon maître, qui pratique parfois la magie, aurait pu en faire autant.

Hallia a gardé ses yeux rivés sur moi, mais elle s'est adressée au garçon.

— Toi aussi, tu as réussi un joli coup avec ta fronde, l'a-t-elle félicité.

Elle lui a jeté un regard furtif, juste assez longtemps pour que ses yeux expriment sa gratitude avant d'ajouter :

— Tu n'étais pas obligé de revenir.

Il a glissé sa fronde dans ses vêtements déchirés et haussé les épaules avec modestie.

— Toute occasion est bonne pour m'entraîner.

Faiblement, je lui ai souri. Hallia m'a caressé le front.

— Je suis inquiète, jeune faucon. Tu n'as pas l'air bien…

— Ça va. Je me sens juste vidé d'énergie.

Comme je sentais une piqûre au niveau de mes côtes, je me suis rappelé le comportement bizarre du scarabée.

— Rien de grave n'est arrivé, à part ce scarabée qui...

— Tu as été piqué ? a demandé Antor.

— N-non, ai-je balbutié. Pas exactement.

J'ai ouvert ma tunique et, là, sur mes côtes, j'ai vu la boucle de fil doré. Elle était à peu près grande comme ma main et tremblait légèrement sur ma peau, comme si elle était vivante. Quelque chose m'a paru étrange : je n'avais pas vu de trou dans ma tunique à cet endroit.

Hallia a étouffé un cri. Ses joues ont pâli. Elle a tendu la main vers la boucle. Au moment où elle s'apprêtait à saisir le fil avec ses longs doigts, celui-ci a bougé et, en se tortillant, s'est enfoncé dans ma peau sans laisser de trace.

Une douleur fulgurante m'a traversé de part en part. J'ai crié, les mains crispées sur mes côtes. Hallia a essayé de rattraper le fil avec ses ongles, mais c'était trop tard. La boucle avait disparu et s'enfonçait dans ma poitrine.

# NŒUD-DE-SANG

L e filament pénétrait de plus en plus profondément en moi. Je le sentais fondre dans ma peau, se glisser entre mes côtes. Et, je ne sais pourquoi, j'étais certain qu'il se dirigeait vers mon cœur.

Je me suis concentré de toutes mes forces pour essayer de l'arrêter. Mais épuisé comme je l'étais, mes efforts étaient vains. Le peu de magie que je percevais encore en moi s'échappait plus vite que les vents que j'avais soulevés. Impossible d'arrêter ce fil, ou même de le ralentir. Il continuait à s'enfoncer, s'enfoncer...

Et le regard effrayé d'Hallia n'était pas fait pour me rassurer.

— Qu'est-ce que c'est? ai-je demandé.

— C'est, je crois, ce que mon père appelait un nœud-de-sang.

Antor s'est penché sur ma poitrine en retenant son souffle. Il a passé la main dans ses boucles engluées de boue, d'un air soucieux.

*Nœud-de-sang.* Le son même de ces mots me donnait des frissons. J'ai allongé le bras et tapoté ma sacoche sur ma hanche.

— Est-ce que mes plantes... peuvent servir... à quelque chose ?

Hallia a baissé la tête.

— Non, a-t-elle répondu. Une fois à l'intérieur du corps, le nœud-de-sang se déplace rapidement. On ne peut pas l'arrêter.

Elle a pris une respiration saccadée et m'a fixé des yeux.

— Quand il arrive dans la poitrine, il s'enroule autour du cœur. Ensuite, il serre très fort, jusqu'à ce que...

— Jusqu'à ce que le cœur... se coupe en deux ?

Elle a hoché la tête, les yeux pleins de larmes.

— Je ne te raconterai pas ce que mon père a dit sur les souffrances de la victime, si ce n'est que — oh, jeune faucon ! — que la mort est un soulagement...

Les vapeurs du marécage s'épaississaient. L'arbre mort, penché juste au-dessus de nos têtes, disparaissait peu à peu dans la brume. La nuit serait bientôt là.

Antor a posé sa main sur mes côtes.

— Tu es très courageux. Ça doit être affreux, ce que tu ressens.

Il a commencé à ajouter quelque chose, mais s'est repris pour dire :

— Si seulement je pouvais faire quelque chose…

— Ta fronde n'est plus d'un grand secours pour moi, ai-je dit d'une voix faible.

Encore une fois, il a commencé à parler, mais ne trouvait pas ses mots. La main toujours posée sur mes côtes, il semblait anxieux. Puis son expression a changé : l'angoisse sur son visage a fait place à la détermination.

— Attends, a-t-il dit. Ceci te fera peut-être du bien.

Il a sorti de ses vêtements un petit flacon rouge foncé et l'a débouché. Un parfum âcre à la vague odeur de brûlé s'est répandu dans l'air. Au moment où Antor approchait le flacon de ma bouche, Hallia, soudain méfiante, a tendu le bras pour l'arrêter.

— C'est un élixir, a-t-il expliqué. Mon maître me l'a donné pour le cas où je serais blessé au cours de ma, euh, mission. Il m'a recommandé de ne l'utiliser qu'en cas de grand danger. Il m'a prévenu que ça ne guérirait pas complètement une mauvaise blessure, mais que ça permettrait de gagner du temps. Assez, peut-être, pour trouver le bon traitement.

Hallia, toujours méfiante, ne quittait pas Antor des yeux.

— Et si ça ne marche pas ?

— Il ne s'en portera pas plus mal.

Une nouvelle douleur m'a traversé la poitrine. Je me suis agrippé à mes côtes en gémissant.

— S'il te plaît, a insisté Antor, bois-en un peu, ça te fera peut-être du bien.

Une passion juvénile brillait dans ses yeux. Je voyais qu'il était de bonne foi.

— Non, non, ai-je protesté. Je ne peux pas accepter. Suppose que tu en aies besoin pour toi plus tard ?

— C'est maintenant qu'on en a le plus besoin, a-t-il répondu avec fermeté.

Finalement, Hallia a baissé son bras. À genoux dans la flaque, Antor a approché le flacon de mes lèvres. Cette fois, je n'ai pas protesté. Très lentement, il a versé le contenu dans ma bouche. Sa potion avait un goût de charbon. J'ai fait la grimace, mais je l'ai avalée. Après quelques secondes, le flacon était vide.

Alors qu'Antor se relevait, un léger frisson m'a traversé la poitrine, comme lorsqu'on inspire une première bouffée d'air matinal. Une douce chaleur s'est répandue rapidement dans tout mon corps. Je me suis senti tout d'un coup plus léger et plus fort. Un sang frais ruisselait dans mes membres. Mes poings se sont serrés. Ils retrouvaient leur force.

Hallia a souri, s'est essuyé les yeux, puis elle a pris ma tête entre ses bras et m'a serré contre elle. Au bout d'un moment, elle m'a relâché et s'est tourné vers Antor.

— Nous te sommes reconnaissants.

C'est tout ce qu'elle a réussi à dire.

— Très reconnaissants, ai-je ajouté.

— Disons que c'est une façon de m'excuser pour ce que je t'ai fait avant, a déclaré le garçon avec un timide sourire.

— J'accepte tes excuses, ai-je répondu.

Là-dessus, j'ai attrapé mon bâton à moitié enfoui dans la boue. J'ai dû déloger un gros ver de terre collé sur son extrémité noueuse avant de prendre appui dessus pour me relever.

— Combien de temps durera l'effet de ton élixir? a demandé Hallia.

Antor s'est rembruni.

— Je ne sais pas, mais je crains que ce ne soit pas très long.

Hallia m'a pris la main et regardé au fond des yeux.

— Il faut saisir cette occasion pour te sauver, jeune faucon. Viens. Tu t'occuperas de ton épée plus tard. Avec de la chance, nous trouverons le moyen de sortir de ce marais tant qu'il est encore temps.

J'ai baissé les yeux sur mon fourreau vide. Les pierres violettes scintillaient malgré la lumière déclinante. J'ai pensé à l'épée qui aurait dû l'occuper : une épée magique, celle d'un enchanteur... et d'un roi. *Un roi dont le règne marquera les cœurs pendant longtemps.*

— Non, ai-je répondu en serrant la main d'Hallia. Je ne peux pas faire ça. Surtout pas maintenant. Il se passe quelque chose de maléfique dans ces marais. Ça ne s'est jamais produit auparavant. Et la disparition de mon épée est liée à tout ça. Je le sais, maintenant, aussi sûrement que je connais ton visage. Je ne peux pas clairement identifier ce que c'est, mais j'ai l'étrange sentiment que c'est quelque chose que j'ai déjà rencontré quelque part.

Elle a retiré sa main.

— À quoi serviras-tu si tu n'es pas vivant ? Il faudrait d'abord retrouver Cairpré, ou ta mère, la guérisseuse. Ils peuvent peut-être encore te sauver. Ensuite tu reviendras ici si tu le souhaites.

— Ce sera peut-être trop tard, alors.

Elle a plissé les yeux.

— De qui cherches-tu à combler les attentes, jeune faucon ?

J'ai retenu mon souffle avant de répondre :

— De moi-même.

Ma réponse la laissait sceptique, visiblement.

Appuyé sur mon bâton, j'ai parcouru du regard les étendues fumantes autour de nous. Je me suis rendu compte, alors, que les bruits avaient repris : ici un gargouillement, là, une espèce de bêlement, puis une succession de hurlements plaintifs. D'autres allaient bientôt venir, je le savais. Et d'autres choses aussi.

— Allez, ai-je déclaré, il faut trouver un abri avant la nuit. Pour toi aussi, Antor. Tu feras le voyage avec nous ?

Il s'est frotté le menton d'un air pensif.

— En partie.

— Et moi, a demandé Hallia en me caressant la poitrine du dos de la main, tu ne me poses pas la question ?

— À vrai dire, je ne me l'étais pas posée… Tu viens aussi ?

Elle a cligné des yeux un instant avant de répondre :

— Je viens.

— Dans ce cas, allons-y, ai-je lancé. Espérons que ces buissons, là-bas, sont assez épais pour nous cacher.

La hauteur sur laquelle nous pensions trouver refuge se profilait sur un arrière-plan de plus en plus sombre.

Suivi de près par les autres, j'ai scruté aussi loin que j'ai pu à l'aide de ma seconde vue, puis je suis parti à travers le marais herbeux et les ai conduits jusqu'à une étroite bande de tourbe qui serpentait dans le brouillard. À un moment donné, dans les fentes d'un tas de pierres, nous avons aperçu de minces yeux jaunes qui nous observaient. Nous sommes passés à côté à pas prudents et avons poursuivi notre chemin. La tourbe ne collait pas à nos pieds comme la boue, mais les empreintes que nous laissions formaient un chapelet de petites flaques. Une fois, je me suis arrêté pour attendre les autres et j'ai pu les observer disparaître rapidement après notre passage. Elles se fondaient dans le paysage aussi complètement que les spirales de brouillard s'enfoncent l'une dans l'autre.

En bordure de la bande de tourbe, au pied d'une plante grimpante, il m'a semblé reconnaître un légume violet de forme plus ou moins carrée auquel j'avais goûté, un jour, et qui m'avait paru exquis. Mais j'hésitais. Était-ce vraiment le même ? Finalement, la faim l'a emporté : je l'ai cueilli et fourré dans ma sacoche.

À mesure que nous avancions, l'aspect de notre futur refuge se précisait. Je me suis bientôt rendu compte que les buissons était en réalité des arbres au branchage bas et très dense. Leurs troncs, quand ils étaient visibles, étaient aussi épais que des orteils de géant et leur écorce, aussi ridée que le cuir de mes bottes. Ce qui, de loin, ressemblait à des baies était en réalité le dessous rouge des feuilles.

À l'extrémité de la bande de tourbe, nous nous sommes trouvés au bord d'une grande flaque vaseuse dont les bulles et les mouvements sournois m'inquiétaient. Traverser cette sombre étendue glauque ne me disait rien qui vaille. Je n'aimais ni son aspect, ni son odeur. Mais c'était certainement le plus court chemin pour arriver à la terre ferme, et il nous ferait gagner un temps précieux.

J'ai sondé la profondeur de la flaque à l'aide de mon bâton. Elle ne paraissait pas très profonde. J'ai avancé d'un pas. L'eau s'est infiltrée dans mes bottes, mais le fond était ferme, bien que glissant. Après un échange de regards avec mes compagnons, j'ai fait un pas de plus.

Je ne sais pas sur quoi j'ai marché, mais ce je-ne-sais-quoi a bougé et s'est faufilé dans les roseaux. J'ai bondi en arrière. Déséquilibré, je suis tombé dans l'eau vaseuse. Et là, horrifié, j'ai senti quelque chose s'enrouler autour de ma jambe… une chose qui me tirait vers le fond.

J'ai appelé à l'aide, et Hallia et Antor ont volé à mon secours. Ils m'ont empoigné par les bras en tirant de toutes leurs forces. Mais la « chose » continuait à tirer de son côté. Antor a glissé sur la tourbe et il est tombé à genoux. Pourtant, il n'a pas relâché ses efforts. Hallia elle-même se démenait tant qu'elle pouvait — je le voyais aux balancements de sa natte.

Enfin, la chose m'a lâché. Nous avons basculé en arrière, tous les trois. Pendant un moment, nous sommes restés là, haletant, les uns sur les autres, au milieu des volutes de brume qui tournaient au-dessus de nous. Puis j'ai secoué la tête pour égoutter mes cheveux et je me suis assis. Le bas de ma jambe était couvert d'une substance noire et visqueuse, dont j'ai éliminé la plus grande partie en la frottant avec le bout de mon bâton.

Sans un mot, nous nous sommes aidés mutuellement à nous relever et nous sommes repartis en contournant la flaque. Les dernières lueurs du jour ont rapidement disparu ; les bruits des marais se sont amplifiés ; le brouillard tourbillonnant dessinait de sombres bouches aux dents mouvantes, aux langues vaporeuses. Des branches mortes s'accrochaient à nos vêtements, nous griffaient les jambes. Ces obstacles m'inquiétaient moins, pourtant, qu'un étrange scintillement au loin. Et il augmentait à vue d'œil.

Nous avons enfin atteint la butte tant attendue. Elle n'était pas très haute, mais comme je l'espérais, elle était plus sèche que le terrain qui l'entourait. Seulement comment grimper ? On ne distinguait aucun chemin. Les branches entremêlées formaient un barrage infranchissable, même pour ma seconde vue. En quelques rares endroits, cependant, le réseau semblait se desserrer et on y devinait des sortes de tunnels. Peut-être pourrions-nous y trouver un abri, après tout.

Hallia m'a saisi l'épaule.

— Ces lumières, regarde, elles viennent par ici ! Ce sont les goules, j'en suis sûre.

Un cri sinistre est monté du marais. Suivi d'un autre, puis d'un autre encore.

— Venez vite.

J'ai couru vers les arbres et, enjambant les grosses racines, j'ai entraîné les autres vers une ouverture entre les branches.

— Attention, là ! Ces épines ont l'air redoutables.

D'autres cris à glacer le sang se sont élevés derrière nous tandis que nous nous baissions pour entrer dans l'étroit tunnel. Aussitôt, l'obscurité nous a enveloppés, en même temps qu'une odeur de pomme de pin, douce et piquante. Le tunnel a tourné à gauche vers le centre du bois, puis à droite et de nouveau à gauche. À chaque bifurcation, je choisissais le passage le plus difficile, espérant qu'il offrirait une meilleure protection. Les épines déchiraient ma tunique, me piquaient aux genoux, au cou et aux épaules. Derrière moi, Antor a poussé un cri de douleur. Plusieurs fois, Hallia a cogné du poing par terre comme une biche en colère frappant le sol de son sabot.

Enfin, nous avons atteint un endroit plus large, entouré de quatre ou cinq tronc noueux. Le plafond bas empêchait de se tenir debout, mais on pouvait sans peine rester assis ou à genoux. D'après moi, nous devions être vers le milieu du bois.

Je me suis adossé à un tronc.

— Eh bien, nous voilà logés pour la nuit, ai-je annoncé, puis j'ai léché une entaille à mon poignet.

— J'ai connu pire comme refuge, a déclaré Antor.

Pendant qu'il rassemblait ses vêtements autour de ses jambes meurtries, Hallia, tel un faon, s'est pelotonnée dans un creux entre les racines.

— Oui, ça peut aller, a-t-elle admis. Comment te sens-tu ? m'a-t-elle demandé en touchant ma cuisse.

— Pas mal.

— Tout ce qu'il nous faudrait, a dit Antor, c'est un bon dîner.

Je me suis alors rappelé le légume que j'avais cueilli et l'ai sorti de ma sacoche. Il était un peu écrasé, mais sa peau était intacte. J'en ai détaché un morceau et l'ai approché de mon nez. J'ai tout de suite reconnu son parfum. Un arôme aussi savoureux que celui de la viande rôtie.

— Qu'est-ce que c'est ? s'est enquis Antor.

— Notre dîner. C'est un légume utilisé par les boulangers de Slantos, dans le nord de l'île, pour fabriquer un pain qu'ils appellent *pain du cœur*. Je l'ai trouvé dans le marécage.

Hallia s'est approchée.

— Tu crois vraiment qu'on peut s'y fier ?

J'ai défait le légume en morceaux juteux, puis j'ai léché mes doigts.

— J'ai trop faim pour avoir des doutes. Et je me souviens trop bien de cette odeur.

J'ai donné un morceau à chacun avant d'en extraire le gros noyau plat. Même dans le noir, ma seconde vue me permettait de reconnaître sa belle couleur rouge foncé. Je l'ai posé sur le sol et, en tapant dessus avec mon bâton, je l'ai brisé en plusieurs morceaux que nous nous sommes partagés. Le goût était toujours aussi merveilleux et revigorant. Il y avait aussi quelque chose

dedans qui me donnait le sentiment que je retrou-
verais mon épée, et qu'un jour je m'en servirais
de nouveau.

— Hmm, quelle saveur ! a commenté Antor
dont le menton dégoulinait de jus. Le pain dont
tu as parlé doit être succulent.

— Oh oui, il l'est ! Et, en plus, d'après les gens
de Slantos, il donne du courage.

— C'est exactement ce qu'il nous faut, a renchéri Hallia tout en mâchant avidement.

— Oui, a confirmé Antor avec un gros soupir.
Du courage pour affronter l'avenir.

— L'avenir fait peur, parfois, hein ? ai-je dit
en lui tendant un autre morceau du légume
violet.

— Surtout dans un endroit comme celui-ci,
où chaque pas t'oblige à faire des choix... C'est
souvent difficile, car dans tous les choix, il y a le
pour et le contre, a-t-il ajouté d'un air songeur.

J'ai hoché la tête à ses propos.

— Oui, c'est ainsi que je vois la vie : des chemins inconnus, noyés dans un brouillard si épais
qu'on a du mal à les distinguer.

J'ai avalé ma bouchée avant d'ajouter :

— La seule solution, dans tous les cas, c'est
d'essayer de faire du mieux qu'on peut.

— Malgré le brouillard ? a-t-il demandé d'un
ton plaintif.

— Malgré le brouillard.

— Mais si… si le choix qu'on a devant soi est clair, et en même temps impossible ? Par exemple, on veut aider quelqu'un, peut-être quelqu'un qu'on aime beaucoup, et en même temps, si on l'aide, ça nous empêche d'aider quelqu'un d'autre qui le mérite aussi. Qu'est-ce qu'on fait, alors ?

— J'ignore ce que tu cherches, Antor, ou qui tu veux aider, ai-je dit en posant ma main sur sa cheville.

Il avait l'air mal à l'aise et sur le point de dire quelque chose, mais s'est retenu.

— Cependant, ai-je continué, je sais une chose : c'est qu'aujourd'hui tu as aidé quelqu'un et, quelles que soient les épreuves que la vie te réserve, je ne l'oublierai jamais.

Il a hoché la tête en silence et même esquissé un sourire. Pourtant, je le voyais toujours soucieux. Mes paroles l'avaient touché, sans aucun doute, mais elles n'avaient pas allégé son fardeau comme je l'avais espéré. Savait-il donc quelque chose de l'avenir qu'il ne pouvait dévoiler ?

Finalement, il a posé sa petite main sur la mienne.

— Je suis content que tu aies trouvé ces arbres, jeune faucon. Et aussi que tu m'aies trouvé.

Nous sommes restés longtemps sans prononcer un mot. Puis j'ai levé les bras pour m'étirer.

— Nous devrions sans doute dormir un peu, ai-je suggéré. L'ennui, c'est que je n'ai pas sommeil.

— Moi non plus, a dit Antor.

— Et moi non plus, a murmuré Hallia tout en se déplçant de sa position parmi les racines. Surtout avec ces gémissements et ces plaintes, dehors. Même à travers toutes ces branches, on les entend.

— Ce n'est pas ce qui me préoccupe le plus, ai-je avoué.

— Tu penses au nœud-de-sang? a-t-elle demandé avec bienveillance.

— Oui, maudite chose! Et au moment où l'élixir ne fera plus d'effet. À ce que je ressentirai.

— Ce qu'il nous faut, a proposé Antor, c'est une bonne histoire. Le genre d'histoire qui fait oublier tout le reste.

— Je connais quelqu'un qui a l'art de raconter. Quelqu'un qui a grandi dans un clan dont la vie est remplie de toutes sortes d'histoires. Hallia, tu veux bien? ai-je demandé en lui donnant un petit coup de coude amical dans la cuisse.

— Oui, s'il te plaît, a supplié Antor. Tu veux bien?

Elle a réfléchi un moment avant de se décider.

— Bon, d'accord, a-t-elle finalement répondu. Je vais vous raconter une histoire très connue chez nous. L'histoire d'une fille nommée Shallia, où il est question de brume, d'amitié et de choix. De choix impossibles.

Elle s'est assise en tailleur, les mains sur les genoux, les yeux fixés sur le mur de branches. On aurait cru que son regard plongeait à travers les arbres jusque dans les tourbillons de nuages, derrière. Puis elle a commencé, d'une voix douce comme une brise du soir au bord de la mer.

— Alors, écoutez bien, car je vais vous conter l'histoire de la brume qui murmurait.

## ∾ XV ∾

# L'histoire de la brume qui murmurait

P rès d'un rivage lointain, sur une mer lointaine, la brume monte chaque nuit des
flots étoilés. Sur la mer qui s'assombrit, elle
s'étale, étirant de longs doigts fins vers la terre.
Aujourd'hui encore, comme tant d'autres nuits
auparavant, la brume se dirige d'abord vers un seul
endroit, un seul rocher : celui qu'on nomme la
Pierre de Shallia.

Car Shallia y venait souvent.

Assise au bord du rocher, les jambes pen-
dantes, elle restait là des heures. Pour regarder
le soleil plonger dans l'océan, ou les étoiles traverser le ciel noir tels de petits poissons lumineux. Pour sentir les premières volutes de brume
toucher ses orteils. Et, surtout, pour écouter : le
clapotement des vagues et les cris des mouettes,
le jet des baleines au souffle aussi profond que les
eaux elles-mêmes et, certaines nuits, un autre
bruit, un mystérieux murmure qui n'avait rien à

voir avec les vagues ni les baleines, mais qui semblait presque vivant.

Ce murmure, étrangement, lui rappelait ses plus jeunes années, les plus heureuses. Bien qu'elle n'eût jamais connu sa mère, emportée par les dieux de la Mer et du Rivage quand elle l'avait mise au monde, son père était toujours resté près d'elle. Comme ils avaient ri tous les deux lorsqu'ils couraient dans les vagues, découvraient des palourdes, et se poursuivaient à marée basse à travers des flaques pleines de poissons scintillants ! Comme ils avaient joui de cette vie, en totale harmonie avec la mer et avec eux-mêmes !

Jusqu'au jour où son père avait marché sur les dards d'un poisson venimeux caché au fond de l'eau et s'était noyé.

Recueillie par sa grand-mère, Shallia avait emménagé dans une hutte de terre en bordure du village. Elle n'avait ni frères, ni sœurs, et pas d'amies de son âge. Tout en rêvant de compagnie, elle restait seule. Elle ne sentait pas de place dans son cœur pour autre chose que la solitude et l'envie d'être assise au bord de la mer.

— Ne reste pas seule près de l'eau, mon enfant, lui disait sa grand-mère. Surtout la nuit. C'est à ce moment-là que les goules de mer s'approchent du rivage.

Les goules de mer, expliquait l'aïeule, vivaient dans le sombre royaume entre l'eau et l'air. Plus dangereuses qu'un banc de poissons venimeux, elles pouvaient prendre n'importe quelle forme, tout comme la brume. Parfois, elles rendaient les gens fous. Il y avait beaucoup d'histoires à propos de villageois qui, s'étant attardés près de l'eau la nuit, avaient été attirés dans les vagues par ces goules. Emportés par les courants, on ne les avait jamais retrouvés, ni vivants, ni morts. Seules subsistaient leurs empreintes dans le sable, qui disparaissaient au clair de lune.

Shallia avait entendu toutes ces histoires. Mais elle avait aussi entendu, beaucoup plus clairement, l'appel lointain des flots. Comment ce murmure assez doux pour apaiser son chagrin pouvait-il être dangereux? La seule idée de se boucher les oreilles pour ne pas l'entendre la rendait triste, et elle se sentait plus seule que jamais. Alors, tous les soirs, quand sa grand-mère dormait, Shallia quittait la hutte en secret et descendait jusqu'au rivage.

Tous les soirs, elle s'asseyait là et regardait la nuit se déverser dans la grande cuvette marine. Parfois elle fermait les yeux et imaginait sa mère et son père sortant de l'eau pour venir la voir; ou bien une amie, une vraie, quelqu'un qui la connaissait si bien qu'elles n'avaient pas besoin de mots pour se comprendre. Mais elle savait que ce n'étaient que des rêves, aussi irréels que les histoires de sa grand-mère.

Une nuit, Shallia suivit le chemin de la pleine lune jusqu'à la mer, marchant sur les débris de coquillages et de bois flotté. Tandis que l'herbe faisait place au sable, une énorme vague s'abattit sur la côte avec un bruit de tonnerre, puis se retira lentement. Shallia vit que son rocher, trempé par les embruns, brillait d'une étrange manière.

Elle grimpa sur son siège tapissé de patelles. Les vagues scintillaient au clair de lune ; de chaque crête ruisselaient des chevelures de brume. La brise salée ébouriffa ses boucles. Elle frissonna. Pas tant à cause de la fraîcheur du soir que d'un sentiment indéfinissable, mélange d'incertitude, d'espoir et de crainte.

Elle regarda vers le large. Ce soir-là, la brume, encore plus agitée que l'eau, dessinait des formes bizarres, fantomatiques, qui disparaissaient en s'effilochant. Sous un rayon de lune, elle aperçut des silhouettes à l'intérieur d'autres silhouettes. Et pendant tout ce temps, venu de quelque part au loin, le murmure ne cessait de s'amplifier et de diminuer tour à tour.

Puis une sombre nuée s'amoncela lentement à l'horizon. Le cœur battant, Shallia la vit soudain avancer vers le rivage à toute vitesse. Le murmure dominait à présent le bruit des flots houleux. Devait-elle sauter de son rocher et rentrer en courant à la hutte ? Mais, malgré elle, ses doigts se cramponnaient à la pierre.

La masse sombre s'approchait. Deux grands bras ondulants se déployèrent en direction de Shallia, tandis que le murmure se changeait en grondement, puis en rugissement.

Subitement, la masse tout entière s'immobilisa. Une brume frémissante enveloppa la jeune solitaire, l'entourant, ondoyant quelque peu là où ses contours se mêlaient à l'air. Malgré tout, le brouillard ne s'approcha pas plus, ne la toucha pas, tout comme il ne touchait jamais vraiment la plage.

Au même instant, la lumière de la pleine lune traversa le brouillard. Là, à l'intérieur des bras vaporeux, Shallia aperçut d'autres bras, plus fins, plus délicats, qui ressemblaient aux siens, avec des coudes, des mains, des doigts longs et minces qui bougeaient ! Une main se mit à peigner de longs cheveux argentés. Une épaule apparut, un cou et un visage… le visage d'une grande fille scintillante, debout au cœur de la brume.

Shallia sursauta et faillit tomber de son perchoir. La jeune femme se retourna brusquement et, les mains sur les hanches, la fixa à travers l'ouverture qui les séparait. Ses yeux brillaient comme les étoiles sur les flots. Le murmure cessa un instant, comme si la mer elle-même retenait son souffle.

Soudain, l'apparition rejeta la tête en arrière et se mit à rire. Shallia n'entendait pas sa voix, mais elle ressentait sa joie, jusque dans ses os, dans ses veines et dans sa chair de mortelle. Alors, il lui arriva quelque chose qui ne s'était pas produit depuis très longtemps.

Elle éclata de rire.

La jeune femme hocha la tête et posa la main sur sa poitrine ; le murmure reprit, s'amplifia et se transforma en *Maalaashhaa*.

Shallia se leva, un frisson la parcourant. Debout sur le rocher, elle répéta :

— Malasha.

Puis, à son tour, la main sur la poitrine, elle prononça son nom.

— *Shhaaliaa*, fit le brouillard en écho.

D'un geste de la main aussi gracieux qu'une vague déferlant sur un récif, Malasha désigna la plage. Shallia hésita un court instant avant de descendre de son rocher. En marchant sur le sable mouillé, elle laissait des empreintes profondes derrière elle, tandis que Malasha marchait dans la même direction, toujours à l'intérieur du mur de brume, sans laisser la moindre trace.

Les deux filles marchèrent ainsi, côte à côte, au bord de l'eau. Shallia sentait d'instinct que sa compagne ne pouvait pas quitter le voile de brume, comme elle-même ne pouvait pas sortir de son propre monde. Pourtant, si la brume et le sable ne pouvaient pas se mélanger, ils pouvaient quand même se toucher... Enfin presque.

Sans échanger une parole, elles déambulèrent sur la plage. Quand Shallia ramassa une conque et la retourna dans sa main, Malasha en ramassa une aussi. On aurait dit un ruban brillant enroulé en spirale : un serpent de brume, peut-être, ou une espèce de plante faite d'air, de lumière et de rêve. Curieuse, Shallia dessina un cercle dans le sable mouillé à ses pieds, et sa compagne, un cercle lumineux dans la brume.

De nouveau, elles se mirent à rire.

Malasha reprit sa marche silencieuse dans son chemin de brume, en levant les mains comme pour tâter des embruns invisibles. Et Shallia, toujours en parallèle, reprit sa marche dans les flaques qui clapotaient sous ses pas.

Soudain, elle aperçut une tortue de mer en train de creuser un nid dans le sable. Elle se pencha pour la voir de plus près ; Malasha s'arrêta aussi et se pencha autant qu'elle le pouvait, fascinée par les yeux brillants et la carapace marbrée de la tortue, mais aussi frustrée. Shallia savait que sa compagne aurait aimé franchir le mur de brume, passer d'un monde à l'autre, car elle aussi éprouvait cette envie.

Toute la soirée, les deux filles explorèrent les bords de ce rivage qu'elles partageaient. Elles sautaient comme des dauphins au clair de lune, poursuivaient des étoiles de brume tourbillonnantes, marchaient de travers avec les crabes, essayaient d'attraper les rayons de lune. Et lorsqu'une d'elles avait une nouvelle idée, l'autre comprenait aussitôt. Sans paroles.

Quand la lune jaunissante se rapprocha de l'horizon, la lumière du soir se modifia. D'argentée, la brume devint dorée, jetant des reflets scintillants sur les cheveux des jeunes filles et sur les ailes d'une mouette qui passait par là. Assise sur un amas de bois flotté, Shallia observait le mur vaporeux qui la séparait de sa nouvelle amie. Le murmure, légèrement plus fort, lui faisait l'effet d'une caresse apaisante. Elle se sentait toute différente à présent : contente... non, plus que cela... régénérée, en vérité. Comme un voyageur assoiffé à qui on a enfin donné de l'eau.

Pourtant, si elle et Malasha s'étaient trouvées, elles ne pouvaient pas vraiment partager la vie l'une de l'autre, car elles ne pouvaient ni se parler, ni se toucher. Par-dessus son épaule,

Shallia jeta un coup d'œil vers la lune. Les arbres qui bordaient la plage de son côté brillaient d'une lumière dorée, tout comme la brume du côté de Malasha. Mais alors, si les rayons de la lune passaient d'un monde à l'autre, qu'est-ce qui l'empêchait d'en faire autant ?

Elle soupira et remplit ses poumons d'air frais et salé. En même temps, Malasha renversa la tête en arrière et gonfla la poitrine. Elle aussi soupirait, semblait-il, tandis qu'au loin, comme en écho, résonnait le souffle d'une baleine.

Un sourire s'épanouit sur le visage des deux jeunes filles. Si elles ne partageaient pas le même monde, leurs mondes partageaient le même air. Et elles aussi. Car le souffle de la baleine, de la mouette et de toutes les créatures marines était également le leur.

Pendant un long moment, elles se regardèrent, de plus en plus attirées l'une par l'autre. Malasha fit un pas en avant et se pencha pour écarter le mur de brume avec ses deux mains.

— Elle vient ! Elle vient vers moi ! s'écria Shallia, soudain pleine d'espoir et d'appréhension.

Le murmure des vagues s'amplifia, devint plus strident. Malasha hésita un instant, avant de continuer à écarter le rideau qui séparait leurs deux mondes. Shallia s'avança tout au bord de la plage et tendit la main à travers la brume, espérant serrer celle de son amie dans la sienne.

Soudain, les yeux écarquillés, le visage tordu de douleur, Malasha tomba en arrière.

— Malasha! cria Shallia.

Il n'y eut pas d'autre réponse que les murmures toujours plus stridents. Le mur de brume trembla, s'assombrit et se déchira en lambeaux. Puis, devant Shallia abasourdie, il disparut en même temps que son amie.

Les murmures cessèrent. Seuls restaient sur les flots les derniers rayons de la lune. Quelques secondes plus tard, eux aussi s'évanouirent. Shallia demeura seule sur la plage dans la nuit la plus noire. Elle appela, tapa du pied sur le sable, avant de tomber à genoux en sanglotant.

À partir de ce jour, Shallia retourna tous les soirs sur son rocher, d'où elle observait les flots jusqu'à l'aube. Elle ne voyait plus de brumes, n'entendait plus de murmures. Néanmoins, nuit après nuit, elle veillait. Peu lui importait que sa grand-mère découvre sa cachette ou qu'une vague l'emporte. Elle ne songeait qu'à retrouver ce qu'elle avait connu un moment, puis perdu.

— Malasha, où es-tu? appelait-elle inlassablement.

Mais son amie ne répondait jamais.

Une nuit, Shallia était assise face à la mer comme à son habitude, et un croissant de lune se levait, accroché à la ligne d'horizon. Elle avait déjà tant perdu dans sa vie. Et maintenant, Malasha. Elle serra les poings. Cela, elle ne pouvait pas l'accepter. Elle ne l'accepterait jamais ! Mais que faire ? Elle n'en avait aucune idée, si ce n'est qu'elle était prête à traverser une mer de poissons venimeux, et même la brume s'il le fallait.

Même la brume, songea-t-elle...

Lentement, elle se leva, les mains tendues vers la mer.

— Viens me chercher, s'il te plaît ! Emmène-moi vers mon amie.

Comme d'habitude, il n'y eut pas de réponse. Découragée, Shallia laissa retomber ses mains, prête à s'en retourner. Avant de quitter son rocher, elle jeta néanmoins un dernier coup d'œil vers la mer.

Au loin, un long bras de brume, aussi pâle et mince que la lune, s'éleva au-dessus des flots, suivi d'un deuxième et d'un troisième. Ces bras commencèrent à s'agiter, balayant le ciel comme sous l'effet d'un vent violent.

Soudain, une vague de brume se dressa au-dessus de l'eau et s'approcha à toute allure du rivage, du rocher... et de Shallia. Juste avant de l'atteindre, le mur chatoyant s'incurva au-dessus de son visage tourné vers le ciel, puis retomba et la submergea complètement.

Aussitôt, la brume tourbillonnante se dissipa. L'air et la mer redevinrent calmes. Mais Shallia n'était plus là pour voir le changement. Son rocher était vide.

Elle se retrouva assise sur un coteau étrange. Un vent léger, à l'odeur de sel, ébouriffait ses cheveux. Le sol, si l'on pouvait l'appeler ainsi, était doux et humide comme de la mousse après la pluie, et si souple que sa main passait presque au travers. Devant elle s'étendait un paysage mouvant, où des crêtes se formaient et se défaisaient, semblables à des vagues d'écume, où des gorges s'ouvraient et se refermaient pour s'ouvrir à nouveau, et où des nuages colorés brillaient tels des arcs-en-ciel fugitifs.

Puis elle remarqua un bruit mystérieux qui montait autour d'elle. Son rythme lent et majestueux lui rappelait celui des vagues sur le rivage. Mais il était plus profond, plus riche, chargé de sentiment comme un millier de voix chantant à l'unisson. Il lui sembla avoir déjà entendu ce genre de chant ailleurs, dans un autre monde.

Mais où donc ?

L'air chatoyait autour d'elle, tandis que des silhouettes argentées se formaient de tous côtés. Shallia se leva d'un bond. Elle se demandait si elle allait courir et pour aller où, quand les silhouettes se muèrent en personnes de haute taille.

Elles se tenaient en cercle autour de quelque chose qu'elle-même ne voyait pas et elles chantaient doucement une mélodie rythmée, de plus en plus triste et nostalgique.

Un homme, dont la cape flottait avec autant de grâce que des algues dans l'eau, se tourna vers Shallia. Pendant un long moment, il l'observa. Puis il s'adressa à elle d'une voix grave et vibrante.

— Enfant du monde solidifié, je ne voulais pas t'amener ici. Mais c'était le souhait de ma fille, qui te considère comme son amie. Malgré mes doutes sur le bien-fondé d'une telle décision, je n'ai pas eu le courage de le lui refuser.

Shallia fit quelques pas vers lui. Ses pieds s'enfonçaient dans le sol moelleux.

— Vous êtes le père de Malasha?

— Oui, répondit-il, tandis que le triste chant s'amplifiait. Et je le resterai même après sa mort.

Ses paroles frappèrent Shallia comme une vague glacée.

— Non, murmura-t-elle. De grâce, plus de mort.

L'homme leva sa main argentée. Le cercle s'écarta, laissant apparaître une forme allongée sur un lit de brume. C'était bien Malasha. Shallia s'approcha. Son amie était aussi inerte qu'un morceau de bois flotté.

Doucement, elle souleva la main glacée de la jeune fille, cette main qu'elle avait rêvé de toucher la nuit de leur rencontre. Au même moment, les paupières de Malasha s'entrouvrirent. Mais, derrière, il ne restait presque rien de l'éclat qu'elle avait connu. Refoulant ses larmes, Shallia serra sa main. Elle savait qu'elle n'avait pas besoin de parler pour être comprise. De toute façon, elle ne savait pas quoi dire. Elle ne pouvait que souffrir et espérer.

Mais l'espoir même s'évanouit. Les yeux de Malasha se refermèrent, comme le soleil disparaissant derrière l'horizon. Les têtes des gens du cercle s'inclinèrent encore davantage. Le chant s'éteignit lentement en même temps que la jeune fille.

Shallia appuya la main de son amie contre sa poitrine.

— Ne meurs pas, s'il te plaît, supplia-t-elle. Je veux que tu vives encore. Que tu respires encore.

*Respire encore.*

Quelque part dans la mémoire de Shallia, une baleine souffla, inhalant le même air brumeux que les deux amies.

*Respire encore.*

Avec la main inerte de son amie dans la sienne, Shallia se dit que le souffle n'était pas juste de l'air, pas juste un phénomène corporel, mais quelque chose de plus. Quelque chose qui pouvait circuler entre son monde et celui de Malasha aussi facilement que la brume entre l'eau et l'air.

*S'il te plaît, Malasha. Respire encore.*

Les cheveux argentés de la jeune fille frémirent sous le souffle de son amie. Le souffle de la baleine, de la mouette et de la tortue. Le souffle qui remplissait tous les coquillages, qui soulevait toutes les vagues. Le souffle de la mer. Le souffle de la vie.

Soudain, Malasha bougea. Sa poitrine se souleva légèrement. Ses doigts s'enroulèrent autour de ceux de Shallia. Ses yeux s'ouvrirent, brillant de la lumière des étoiles sur les flots.

Le chant reprit, les enveloppant. Non plus un chant de désespoir mais de joie. Enfin, Shallia comprit : le chant, dans ce monde, était le murmure qu'elle avait si souvent entendu dans le sien ! Elle était entourée comme jamais auparavant de la musique de ce monde, de la musique de la brume.

Shallia regarda son amie. Elle savait qu'elles ne se sépareraient plus jamais. Et que le lendemain matin, les gens de son village ne trouveraient que ses empreintes qui s'effaceraient dans le sable.

Près d'un rivage lointain, sur une mer lointaine, la brume monte chaque nuit des flots étoilés. Sur la mer qui s'assombrit, elle s'étale, étirant de longs doigts fins vers la terre. Et cette nuit-là, comme tant d'autres nuits auparavant, la brume se dirige d'abord vers un seul endroit, un seul rocher : celui qu'on nomme encore la Pierre de Shallia.

# XVI
## queljies

Encore bercé par le bruit des vagues d'un rivage lointain, j'ai appuyé ma tête contre le tronc d'arbre auquel j'étais toujours adossé. Au bout d'un moment, je me suis tourné vers Hallia.

— Quelle belle histoire !

— Je suis contente qu'elle t'ait plu, a-t-elle dit en s'installant au fond de son creux entre les racines. C'était l'une des préférées de mon père. Il se sentait particulièrement proche de la brume, si difficile à influencer ou à contenir.

— Et même à définir. Ma mère disait que la brume n'était ni tout à fait de l'eau, ni tout à fait de l'air, mais un peu des deux.

Ces paroles résonnaient encore dans ma tête, ainsi que d'autres :

*Quelque chose entre les deux.*

Le même jour, il y a longtemps, dans notre misérable chaumière, ma mère avait parlé ainsi de Fincayra. Qu'avait-elle dit encore ?

*Un endroit merveilleux; ni tout à fait la Terre, ni tout à fait le ciel, mais un pont entre les deux.*

J'ai soupiré en regardant mon fourreau vide et ma tunique, là où le nœud-de-sang s'était enfoncé dans ma poitrine. Ma mère aurait dû me parler aussi des multiples dangers de l'île et des choix auxquels on y était confronté. Beaucoup semblaient d'abord clairs puis, brusquement, plus du tout, comme un reflet dans une mare qui soudain se trouble.

Dans l'obscurité, je me suis penché vers Antor.

— Tu as aimé cette histoire, mon jeune ami ?

Pas de réponse. J'ai compris à son souffle lent et régulier qu'il dormait. Hallia a répondu à sa place :

— Certainement, tant qu'il était éveillé. En fait, a-t-elle ajouté en bâillant, il n'a pas tort de dormir. Nous pourrions en faire autant, toi et moi.

— Oui, ai-je répondu, alors que retentissaient les cris du marais derrière les arbres. Mais l'un de nous devrait rester aux aguets. Je monte la garde.

Hallia a bâillé de nouveau.

— Tu es sûr ? Je peux le faire si tu préfères te reposer.

J'ai ramené mes genoux contre ma poitrine.

— Non, toi, tu dors d'abord. Tu me remplaceras un peu plus tard. Je te réveillerai quand ce sera ton tour.

La tête posée sur une grosse racine, elle s'est mise en position pour la nuit. Quelques minutes après, sa respiration était aussi lente et régulière que celle d'Antor. Adossé au tronc, je me suis redressé. Afin de rester bien éveillé, j'ai exercé ma seconde vue sur une série d'objets : un buisson épineux ici, une touffe de feuilles là. Soudain, alors que mon regard s'était arrêté sur une grosse branche couverte de petits trous, j'ai tressailli.

Un de ces trous avait cligné, j'en étais sûr.

Sans le quitter des yeux, j'ai attendu. De nouveau, il a cillé... Non, pas tout à fait. C'était plutôt un mouvement à l'intérieur du trou, une ombre à l'intérieur d'une autre. Tandis que je restais là, osant à peine bouger, une vague lueur orangée s'est allumée au centre : une lumière faible et vacillante, comme des braises sur le point de s'éteindre. J'avais le sentiment désagréable que cet œil lumineux m'examinait.

— Alors, a sifflé une voix fluette, il a cru qu'il ssserait en sssécurité iccci.

Au moment où j'attrapais mon bâton, une autre lumière a clignoté sur une autre branche.

— En sé-é-curité ? a-t-elle demandé. Qui-ii-ii pourrait être en sé-é-curité dans un te-el ma-a-rais ?

— Personne, eh-eh, à part nous, a gloussé une troisième voix. Eh-eh, eh-eh.

Elle venait d'une branche au-dessus de la tête d'Hallia. Celle-ci ne s'est pas réveillée, mais quand la lumière l'a touchée, ses doigts ont réagi par des mouvements nerveux.

— Qui êtes-vous ? ai-je dit.

— Pas des a-a-amis.

— Pas des ennemis. Eh-eh, eh-eh.

— Jussste... des quelji-i-ies.

— Des queljies ? Qu'est-ce que c'est ?

— Nous so-o-ommes les ga-a-ardiennes du ma-a-rais. Oh, ou-i-i ! Ri-i-ien ne nous écha-a-appe. Nous voyons tou-ou-out. Et nous nous dé-é-éplaçons par trois.

— Comme les ennuis, a dit une des deux autres. Eh-eh, eh-eh.

Les trois créatures ont éclaté de rire. Elles riaient si fort qu'on n'entendait même plus la rumeur des marais. Mon inquiétude s'est changée en colère. D'un geste nerveux, j'ai levé mon bâton et l'ai planté fermement sur le sol à côté de moi. Le bout noueux frôlait les épines au plafond.

— Vous nous voulez du mal ?

— Du ma-a-al ? a ricané l'une d'elles. Co-o-omment pourrait-on vous faire plu-u-us de ma-a-al ?

— Plus ? ai-je fait. Plus que quoi ?

— Il a déjà perdu son chemin, eh-eh. Et n'oubliez pas, eh-eh, son épée.

— Que savez-vous sur mon épée ?

— Juste qu'elle est perdue, eh-eh, eh-eh. Comme toi ! Eh-eh, eh-eh.

— Quelque chose d'autre sssera perdu très bientôt. Oui, très bientôt.

— Quoi ? ai-je demandé, me tournant vers la lumière vacillante.

— Ta vie ! a lancé la créature, éclatant de rire à nouveau. Tu vois, ccc'est bien ccce qu'on disait : les ennuis viennent par trois.

À ces mots, les rires sont repartis de plus belle, accompagnés d'un jaillissement de petites lumières. Cette fois, j'ai failli m'énerver, mais je me suis retenu. Il m'a semblé que j'obtiendrais de meilleurs résultats avec une autre tactique. J'ai donc pris mon mal en patience et j'ai attendu que les rires se calment.

— Mes chères queljies, ai-je commencé. Vous avez le goût de la plaisanterie, je le vois bien.

— Il essaie de nou-ou-ous fla-a-atter.

— Ccccc'est ccce que tu crois ?

— Vous avez peut-être le goût de la plaisanterie, ai-je repris, mais visiblement vous n'en savez pas autant que vous voulez le faire croire.

En fait, vous êtes bien trop délicates pour aller explorer les marais, et vous n'avez rien pu apprendre de vraiment important.

— Quelle insssulte !

— Ce n'est pas grave, ai-je dit d'un ton apaisant. Mieux vaut rester en lieu sûr que de s'exposer à des dangers inutiles.

— Tu ne sais pa-a-as ce que nous sa-a-avons !

J'ai attendu un moment avant de répondre.

— Vraiment ? Alors, si vous en savez tant, dites-moi quelque chose que je ne sais pas encore.

— Quoi, pa-a-ar exemple ?

— Oh, je ne sais pas…

J'ai attendu un peu, puis me suis mordillé la lèvre, pensif.

— Par exemple… où quelque chose est caché.

Une petite lueur a clignoté.

— Ssson épée ! Nous sssavons où elle est.

Je commençais à transpirer, mais il ne fallait surtout pas que je montre mon impatience.

— Bon, admettons, ai-je dit. Mais, bien sûr, vous ne le savez pas vraiment.

— Sssi ! Elle est…

— Si-i-ilence ! a lancé une voix sévère d'une autre branche. A-a-avez-vous oubli-i-ié ?

Les autres lumières ont lui, mais se sont tues.

— Voilà, j'ai la preuve. Vous ne savez pas.

De nouveau des lumières. De nouveau le silence. Je me suis étiré en bâillant.

— Alors, tout ce qu'on raconte sur les queljies doit être vrai : beaucoup de fanfaronnades, mais peu de connaissances.

— Faux ! ont-elles crié en chœur.

Aussitôt, Hallia et Antor se sont réveillés. À la vue des lumières dans les branches, ils ont écarquillé les yeux de stupeur. Je leur ai fait signe de se taire.

— Alors, montrez-moi. Dites-moi ce que vous savez.

— Pas sur ton épée, eh-eh, eh-eh. Elle nous punirait, c'est sûr, si on te le disait, eh-eh.

— Qui, *elle* ? ai-je demandé, intrigué.

— Elle, eh-eh, c'est…

— Si-i-ilence ! Ne pa-a-arlons plus d'e-e-elle.

— Eh bien, vous voyez, ai-je repris, affectant un ton détaché. Encore une preuve.

Un lourd silence a suivi, troublé seulement par les sons étouffés du marécage. Hallia et Antor m'observaient, inquiets, tout en surveillant du coin de l'œil les petits trous lumineux. J'entendais presque leur cœur qui battait aussi fort que le mien.

C'est alors qu'une petite voix a brisé le silence.

— Nous ne pouvons rien dire sssur ton épée. Mais nous connaisssons bien d'autres sssecrets. Bien d'autres trésors.

— Je ne vous crois pas.

— Sssi ! Ccc'est vrai.

L'éclat du trou lumineux s'est intensifié.

— Et même, nous sssavons où est caché le sssseptième Outil magique.

Hallia m'a serré le bras. Antor, bouche bée, scrutait les branches. Quant à moi, j'ai essayé de garder mon calme.

— C'est impossible, ai-je rétorqué, avec un haussement d'épaules. Le septième Outil magique a été perdu il y a très longtemps.

— Ah oui ? Tu crois çççа ? a sifflé la voix, indignée.

— Vous ne m'en avez donné aucune preuve.

Cette fois, il n'y a pas eu de réponse, seulement des clignotements de plus en plus brillants.

— Pauvres bêtes, ai-je dit en secouant la tête tristement. Si petites et si frêles… Au moins, en ne vous aventurant pas au-delà de vos petits nids douillets, vous évitez les ennuis. Franchement, il vaut beaucoup mieux pour vous que vous ne sachiez rien d'important.

— Menson-on-onges !

— Homme ssstupide.

— C'est toi, eh-eh, qui ne sais rien.

D'un air détendu, j'ai dit à Hallia et Antor :

— Recouchez-vous maintenant, mes amis. Ces petites créatures ne sont que des bavardes sans cervelle.

— Ah, vraiment ? Alors, comment pourrions-nous sssavoir ceccci ?

Toutes les lumières se sont allumées en même temps.

— Au cen-en-entre du maréca-a-age...

— ... près d'un arbre, eh-eh flambant...

— ... est caché le trésor manquant : la très précccieuse clé.

Je me suis adossé au tronc.

— Cette fois, les queljies, je suis réellement impressionné. C'est incroyable de savoir une chose pareille !

Tandis que les lumières s'éteignaient, nous replongeant dans l'obscurité, je me suis tourné vers Hallia. Malgré les regrets que j'avais de n'avoir rien appris d'utile concernant mon épée, je n'ai pu m'empêcher de sourire. J'avais quand même réussi à tirer d'elles une information intéressante.

Hallia a lâché mon bras, mais elle me regardait toujours avec des yeux exorbités. Elle avait manifestement quelque chose d'important à me dire.

— Jeune faucon, a-t-elle murmuré, je me souviens maintenant.

— De quoi ?

— De ce que mon père m'a raconté — du moins une partie — à propos des pouvoirs de la clé, du septième Outil magique. Elle peut...

Elle s'est interrompue et a jeté un coup d'œil du côté d'Antor.

— Ne t'inquiète pas, l'ai-je rassurée, tu peux lui faire confiance.

— Et ces... créatures ?

— Elles, je n'en sais rien. Elles savent peut-être déjà ce que tu vas dire. Mais ce n'est pas certain. Si ça t'inquiète, attends demain pour m'en parler.

— Demain, a-t-elle grogné, quelqu'un d'autre de beaucoup moins amical pourrait nous écouter. Et puis j'ai envie de te le dire maintenant. C'est trop important.

J'ai aperçu Antor du coin de l'œil qui tendait le cou vers nous. Il était sûrement content qu'on lui fasse confiance. Je lui ai pourtant trouvé un air soucieux. Mais peut-être était-ce ma seconde vue qui me jouait un tour.

Hallia a repris tout bas :

— À propos de la clé magique qui est restée si longtemps sous sa garde, mon père disait ceci : elle peut ouvrir toutes les serrures de n'importe quel palais, de n'importe quelle pièce, de n'importe quelle malle au trésor. Elle peut aussi faire autre chose entre des mains dotées de pouvoirs magiques assez puissants.

Elle a marqué une pause pour accentuer la portée de ses paroles.

— Une personne disposant de tels pouvoirs pourrait s'en servir, non pour ouvrir une porte, mais pour annuler un sortilège. N'importe lequel, et pour toujours, jeune faucon. Et ce sortilège ne pourrait plus jamais être utilisé.

Cette fois, l'effet de surprise était pour moi.

— A-t-il dit autre chose ?

— Oui... a-t-elle répondu, hésitante. Il a dit autre chose, j'en suis sûre. Je crois qu'il s'agissait d'un avertissement concernant les pouvoirs de cette clé. Mais... je n'arrive pas à m'en souvenir.

Antor semblait nerveux. Il avait du mal à rester en place.

— Mais le plus important, a poursuivi Hallia, c'est ce que je viens de te dire. Tu vois bien pourquoi, je pense ? Cette clé, si nous la trouvons, pourrait te sauver la vie. Tu pourrais t'en servir pour annuler le sortilège du nœud-de-sang !

Je me suis redressé aussitôt, la main sur le cœur.

— Mais oui, bien sûr! Une fois guéri, je pourrai enfin récupérer mon épée et faire tout mon possible pour mettre fin à ce malheur. Mais d'abord, je dois trouver la clé.

— *Nous* devons, a-t-elle rectifié.

— Oui, nous! Et l'Arbre-Flammes, *l'arbre flambant* dont les queljies parlaient…

– … doit être l'endroit où mon père l'a cachée! s'est-elle écriée en venant se glisser à côté de moi. Bien sûr, c'est évident. L'Arbre-Flammes d'autre-fois, au cœur des marais, était le lieu le plus sûr.

Elle s'est mise à passer sa main sur une racine.

— Je vois l'endroit, maintenant, a-t-elle dit d'un air rêveur, sur la partie la plus haute d'une crête dépouillée… Jeune faucon, nous sommes tout près, je le sens! Une demi-journée de marche, pas plus.

— *Une trace à jamais gravée dans nos cœurs.* C'est ce que tu as dit.

— Et c'est bien ça! Si on y allait tout de suite? a-t-elle proposé. Enfin, dès l'aube, quand les goules seront parties, a-t-elle ajouté en enten-dant leurs cris au loin.

Doucement, j'ai caressé son menton svelte.

— Je suis reconnaissant envers ton père… et encore plus envers toi.

Elle a levé la tête, son visage appuyé dans ma main. Puis j'ai fait une autre proposition :

— Si on dormait un peu ? C'est encore mon tour de garde, alors repose-toi bien. Et demain matin, tu pourras suivre cette trace, sur la terre et dans ton cœur.

# ∽ XVII ∽

## UN MUR DE FLAMMES

**Q**uand je me suis réveillé, une lumière voilée s'infiltrait à travers l'épais réseau de branches. Hallia était couchée en face de moi, au milieu d'épaisses racines. En m'entendant bouger, elle a levé la tête. Ses longs cheveux auburn étaient un enchevêtrement de boue, de brindilles et d'écorce.

— Comment vas-tu, ce matin ? lui ai-je demandé.

Ses yeux de biche souriaient.

— Tu ne m'as pas réveillée pour mon tour de garde.

— C'est que je me suis endormi, moi aussi, ai-je avoué. Mais il n'est rien arrivé.

— J'aurais bien pris un bain, comme chez le ballymag.

— Et moi donc ! ai-je renchéri en grattant la croûte de boue qui me collait à la joue. Quelle histoire incroyable ! Jamais je n'aurais imaginé pouvoir prendre un tel bain dans ce marécage.

Mon attention s'est portée sur les trois trous, à présent éteints, où les étranges créatures étaient apparues la veille.

— Ça non plus, je ne l'avais pas prévu.

— Est-ce qu'elles ont encore dit autre chose ? a-t-elle demandé en fixant les trous à son tour.

J'ai retiré un caillou de ma botte tout en répondant :

— Non. Je ne les ai pas revues. Mais elles en ont dit assez, non ?

Elle s'est redressée en position assise.

— Pour ça, oui. Je les entendais encore dans mon sommeil :

*Au cœur du marais,*
*Près d'un arbre flambant,*
*Est caché le trésor manquant :*
*La très précieuse clé.*

J'ai tâté avec précaution ma poitrine.

— Espérons que ton père avait raison à propos de ses pouvoirs.

— Oui, il avait raison, ça j'en suis sûre.

Elle a plissée les yeux tout en fixant le plafond avant d'ajouter :

— Si seulement je pouvais me rappeler ce qu'il a dit d'autre… Je crois que c'était sur la façon d'utiliser la clé.

— Qu'importe, tu en sais déjà beaucoup, ai-je dit en lui tapotant l'épaule. Je ferais bien de réveiller Antor, maintenant.

Je me suis tourné vers l'endroit où le garçon avait dormi, mais — ô surprise! — il avait disparu.

— Hallia! Il est parti...

— Non! Ce n'est pas possible! s'est-elle écrié, les mains de chaque côté de son visage. Il n'oserait pas...

Elle m'a fusillé du regard.

— Nous n'aurions jamais dû le prendre avec nous, je le savais.

Toujours surpris, j'ai secoué la tête.

— Je ne peux pas croire qu'il ait trahi notre confiance comme ça. Il s'est peut-être simplement levé de bonne heure pour poursuivre ses propres recherches.

Elle a continué à me regarder d'un air renfrogné.

— Sans même se soucier de nous dire adieu? Non, jeune faucon, je sais très bien où il est allé. Il cherche la clé, lui aussi!

J'ai hoché la tête, l'air grave.

— J'ai bien peur que tu aies raison. Je pensais vraiment qu'il attachait plus de prix à l'amitié, comme Shallia dans ton histoire.

— Apparemment, tu t'es trompé.

— Viens. On peut peut-être encore le rattraper.

Et je suis parti à quatre pattes dans le tunnel de branches.

À la sortie, une cacophonie de hurlements et de bavardages nous attendait. L'idée de retourner dans le marécage n'avait rien de réjouissant, mais j'étais soulagé au moins de ne pas retrouver les goules, et de constater que leur récente agressivité ne les avait pas incitées à agir en plein jour. Malgré cela, quelque chose que Shim avait dit à propos des goules me tracassait encore. Mais peut-être l'avais-je mal compris. N'avait-il pas parlé de goules en plein jour ? En tout cas, pour l'instant, on ne les voyait pas.

En me tenant aux abords du surplomb, je pouvais voir que les brumes avaient légèrement jauni à l'horizon, et tout le paysage avait pris une teinte dorée, même la grande mare dans laquelle j'avais failli me noyer, la veille. Pas étonnant, c'était le lever de soleil !

Hallia, qui avait suivi mon regard — et mes pensées, comme d'habitude —, a pivoté et pointé le doigt vers une zone marécageuse et fumante d'où émergeait un massif d'arbustes tordus.

— La crête sans arbres dont je parlais se trouve par là-bas, a-t-elle déclaré.

Au même moment, j'ai aperçu un ruisselle-
ment qui miroitait au pied des arbres. Il serpentait le long de la pente, puis se perdait dans la
boue. Nous avons couru vers la source et, age-
nouillés près d'une petite flaque claire formée
par une racine incurvée, nous avons plongé nos
visages dans l'eau et bu goulûment. Enfin désal-
térés, nos cheveux dégoulinant sur nos épaules,
nous nous sommes regardés. Hallia a jeté un coup
d'œil inquiet vers les marais.

— Si seulement Gwynnia était avec nous !
Elle nous porterait jusqu'à l'Arbre-Flammes.

— Nous pourrions nous changer en cerfs,
ai-je suggéré.

Elle a fait non de la tête, m'éclaboussant de
petites gouttes par ce même geste.

— Non, avec toute cette boue, on a déjà du
mal à marcher sur deux jambes. Sur quatre
pattes, ce serait pire.

— Alors, allons-y.

Nous avons donc replongé dans le marais. La
boue épaisse s'infiltrait dans mes bottes ; des
branches moussues me griffaient les jambes ;
les volutes de brume à l'odeur de soufre étaient
parfois si denses qu'on avait plutôt l'impression
d'un crépuscule que d'un lever du jour. Quelque
chose dans l'air, dans le terrain détrempé, ou
peut-être dans les profondeurs de ma poitrine,

me donnait un mauvais pressentiment. Même mon ombre, qui marchait à côté de moi, semblait pâle et rabougrie.

Je retournais sans cesse les mêmes questions dans ma tête : allions-nous découvrir, en arrivant à la cachette, qu'Antor avait déjà pris la clé ? Comment ce garçon qui avait sacrifié pour moi son précieux élixir aurait-il pu faire une chose pareille ? Et combien de temps encore cet élixir ferait-il barrage au nœud-de-sang ?

Pendant deux ou trois heures, nous avons marché à travers ces espaces désolés, dans cette lumière brumeuse et monotone. Hallia n'avait aucune hésitation sur la direction à suivre et ne ralentissait jamais. Chaque fois que je me demandais comment elle pouvait évaluer la distance et la direction à suivre sur un tel terrain, je me rappelais la douleur constante entre mes épaules. Peut-être la malédiction qui pesait sur son peuple et la vision de notre destination demeuraient tout aussi présents dans son esprit.

Alors que nous pataugions dans une grande flaque, essayant de prendre appui autant que possible sur des pierres et des monticules d'herbe, j'ai aperçu un nénuphar tout seul à la surface de l'eau. Avec ses pétales blancs pointés vers le haut, autour du bouton jaune vif, il ressemblait à une couronne.

Machinalement, j'ai tâté mon fourreau vide. Aurais-je encore l'occasion de sentir à mon côté le poids de cette belle épée ? Et, surtout, serais-je capable de tenir la promesse faite à Dagda de la remettre un jour au roi à qui elle devait revenir ? À ce stade, cette promesse semblait un rêve.

Enfin, le terrain a commencé à s'élever. Nous avons escaladé une pente abrupte couverte d'herbe brune et parsemée de rochers pointus, dont certains nous arrivaient aux épaules. Soudain, alors que nous traversions une immense toile d'araignée tendue entre deux rochers, Hallia s'est arrêtée. Elle est restée là, un moment, figée. Je ne disais rien, écoutant les bruits du marais.

Puis elle s'est tournée vers moi.

— Tu sens ?

J'ai humé l'air, mais n'ai rien remarqué de particulier.

— Quoi donc ?

— La fumée.

Sans attendre ma réponse, elle a repris son ascension. Quelques instants après, j'ai senti à mon tour une odeur de brûlé. Et de nouveau, m'a-t-il semblé, un vague parfum de rose. La brume opaque nous a enveloppés.

Alors que nous arrivions en terrain plat, l'odeur de fumée est devenue plus forte. Puis une lueur est apparue. Nous nous sommes approchés, intrigués par un son inhabituel, un ronflement irrégulier, assez fort par moments pour couvrir les autres bruits du marais. Peu après, nous nous sommes trouvés face à un cercle de feu tourbillonnant.

Les flammes jaillissaient de plusieurs orifices à même le sol, et s'élançaient vers le ciel jusqu'aux nuages. De temps en temps, elles crachotaient, s'étouffaient avant de repartir de plus belle. Même de loin, la chaleur intense rougissait mes joues. J'ai reculé d'un pas, me rappelant les flammes qui m'avaient brûlé le visage et laissé des cicatrices indélébiles à Gwynedd. J'y avais perdu la vue... et un autre garçon, la vie.

Le feu s'est calmé. Des tourbillons de fumée noire se sont élevés, puis, d'un seul coup, celle-ci s'est dispersée et, au milieu du cercle de flammes, est apparu un arbre tordu. Bien que réduit à l'état de braise, il restait mystérieusement debout, soutenu peut-être par la puissance des gaz jaillissant du sol, ou bien par la magie.

Impressionné, j'ai regardé la silhouette noire disparaître derrière un mur de flammes.

— L'Arbre-Flammes.

Hallia s'est mordillé la lèvre.

— Il paraît impossible à atteindre, a-t-elle fait remarquer.

— Tu as raison, a dit une voix derrière nous.

C'était Antor. Sa tunique, encore plus déchirée qu'avant, portait des traces de brûlure, et même trois ou quatre trous sur un côté. Son visage avait perdu son air juvénile ; ses yeux bleus étaient sans expression.

Il a détourné le regard, puis s'est mis à balancer son poids d'un pied à l'autre.

— Je suis désolé d'être parti sans vous, s'est-il excusé, plein de remords. Mais je ne pouvais pas attendre.

— Tu veux dire que tu ne *voulais* pas attendre, ai-je rétorqué, les sourcils froncés. Tu voulais trouver la clé avant nous.

Il a fixé le cercle de flammes, ce qui fit reluire la moitié de son visage comme un charbon ardent.

— Oui, c'est vrai. Et aussi autre chose.

— Quoi d'autre peut justifier ta trahison ? a lancé Hallia, furieuse.

Il a avalé sa salive avec difficulté.

— Je voulais... je voulais sauver mon maître

— Le sauver ? ai-je demandé, sceptique. Pourquoi ?

— Il est enfermé... emprisonné, a-t-il dit, la tête basse. S'il n'est pas libéré bientôt, des choses terribles arriveront ! Et, même si mon maître ne l'a pas dit aussi clairement, je suis sûr qu'il mourra.

Son espression s'est durcie avant qu'il n'ajoute :

— Quand je l'ai quitté, son ordre était formel : trouve la clé et ne laisse personne d'autre s'en servir, sous aucun prétexte.

Hallia a cogné son poing dans sa main, indignée.

— Si le jeune faucon ne peut pas se servir de la clé, c'est lui qui mourra, a-t-elle lancé.

Le garçon s'est tourné vers moi. Il était au supplice.

— C'est ce que je craignais. Depuis la nuit dernière, je ne pense qu'à ça.

Sa respiration semblait difficile avant de reprendre :

— Cependant, je crois — non, en fait je suis sûr — que je dois d'abord fidélité à mon maître. Si je pouvais faire quelque chose pour toi, je le ferais, crois-moi.

Je souffrais, pour lui comme pour moi, mais je n'ai rien dit.

— La fiole m'appartenait et je pouvais te la donner. Tandis que la clé est à mon maître.

— Non ! a protesté Hallia. La clé n'appartient à personne ! Où était-il, ton maître, quand mon père est parti à travers les marais au péril de sa vie pour la mettre à l'abri des soldats de Stangmar ? Et d'ailleurs, qui est ton maître ? a-t-elle demandé en plissant les yeux.

Antor a hésité.

— Je ne peux pas le dire. J'ai promis.

— Tes promesses, pas plus que les ordres de ton maître, ne valent la vie de quelqu'un.

— Attendez, ai-je annoncé, j'ai la solution. Tu n'enfreindras pas son ordre, Antor. C'est moi qui le ferai.

— Mais...

— Ça marchera, je t'assure! ai-je dit en lui serrant le bras. Tu pourras quand même apporter la clé à ton maître, et il en fera ce qu'il voudra! Mais d'abord, je l'utiliserai pour me sauver.

— Mon maître a dit...

— Oublie ce qu'il a dit, l'ai-je averti en lui jetant un regard noir. Il faudra qu'il partage, un point c'est tout.

— Mais il devait avoir une bonne raison, a protesté le garçon.

— Tais-toi!

J'ai souligné mon ordre en cognant le sol avec mon bâton.

— Assez parlé de ton maître, maintenant. À ce que je vois, il n'a pas plus de courage qu'un levreau et pas plus de sagesse qu'un âne! Quelle idée d'envoyer un garçon de ton âge au milieu de ce marécage! Si l'enjeu était si important, il n'avait qu'à envoyer une armée.

Antor allait répondre, quand mon regard sévère l'a fait taire.

Le mur de flammes montait maintenant plus haut que nos têtes. Je me suis tourné vers Hallia.

— Le vrai problème consiste à sortir la clé de là. Franchir ce mur, il ne faut pas y songer. Aucun mortel n'y survivrait.

Hallia a penché la tête, perplece.

— Pourtant mon père était mortel. Comment est-il entré là-dedans?

Une idée lumineuse m'est venue.

— Il n'y est pas entré.

— Alors, comment y a-t-il caché la clé?

J'ai passé ma main sur le manche de mon bâton.

— Grâce à son pouvoir de Sauter.

Hallia a paru surprise.

— Il connaissait un peu de magie, c'est vrai. Mais assez pour faire ça, tu crois? Après tout, c'est possible.

Son visage s'est assombri avant qu'elle n'ajoute:

— Et tu penses que...

— Que je peux le faire? Pour être franc, je n'en sais rien, ai-je avoué après réflexion. C'est un pouvoir difficile à maîtriser. Je risque d'envoyer la clé ailleurs par erreur, comme ça m'est déjà arrivé. En tout cas, je peux essayer...

Elle a posé sa main sur ma joue et fait pivoter mon visage vers le sien.

— Alors essaie, jeune faucon.

J'ai regardé de nouveau le cercle de flammes et l'arbre à l'intérieur, en concentrant ma seconde vue sur le sol noirci à la base du tronc. Je n'y ai rien trouvé. Alors, j'ai observé les trous par où sortaient les gaz et dont les pierres autour avaient éclaté sous l'effet de la chaleur. Je n'ai rien vu, là non plus. Idem pour les racines, le tronc, puis les branches. Sans résultat.

Où pouvait bien être la clé dans ce brasier? Sculptée dans un bois de cerf, avait dit Hallia, avec un saphir incrusté dans l'anneau. J'ai continué à chercher, en suivant tous les contours de l'arbre, jusqu'à ce que je remarque, enfin, une forme inhabituelle : un petit objet bombé, posé sur un nœud du tronc. Puis j'ai aperçu l'éclat d'un reflet bleu, brillant comme un saphir.

Je me suis concentré sur la clé, faisant appel à tous mes sens. Mes pouvoirs n'étaient pas aussi puissants que je le croyais, j'en étais conscient, mais ce n'était pas le moment d'avoir des doutes.

*Saute jusqu'à moi.*

Les flammes ont bondi, nous forçant à reculer. J'ai senti comme une gifle brûlante sur mes joues. L'air crépitait, le feu ronflait dans nos oreilles. Malgré cela, je restais concentré.

*Saute jusqu'à moi. Traverse les flammes.*

Comme s'il percevait mon intrusion, le brasier a redoublé de violence : le souffle brûlant m'a roussi les sourcils et les flammes ont léché ma tunique, me rappelant le danger auquel je m'exposais.

Je sentais mes forces faiblir, mes jambes flageoler. J'avais de la peine à me tenir debout. Si, grâce à mes pouvoirs, je parvenais à déplacer cet objet, il allait sûrement tomber en chemin, il allait sûrement brûler. Dans un dernier effort, j'ai tenté de lui faire traverser l'incendie.

Soudain, la clé a surgi des flammes : une forme blanche et brillante qui, au milieu de cette fournaise, dégageait sa propre lumière intérieure. Portée par des ailes invisibles, elle a traversé le mur de feu, échappant aux doigts grésillants qui essayaient de la retenir. Au moment où, à bout de souffle, je tombais à genoux sur le sol, elle a atterri dans ma paume ouverte.

Hallia a tendu une main tremblante. Du bout des doigts, elle a suivi les contours délicats de la clé.

— Tu as réussi, a-t-elle murmuré.

J'ai compris qu'elle s'adressait à la fois à moi et à son père.

Au même instant, quelque chose est passé à toute vitesse au-dessus de ma tête. C'était une flèche. Je l'ai vue couper le cercle de feu. Puis, avec horreur, je me suis aperçu qu'elle avait laissé une traînée sombre derrière elle. Pas de fumée, mais de vide.

J'ai vite compris de quel type de flèche il s'agissait. Shim nous avait prévenus : c'était une flèche aux propriétés particulières. De celles qui percent le jour.

## XVIII

## DES ROSES

Je me suis relevé tant bien que mal en m'aidant de mon bâton, et évitant soigneusement de toucher le ruban sombre que la flèche avait tracé dans l'air — un vide où rien ne subsistait, pas même la lumière.

Hallia, le visage livide, a reculé jusqu'à ce que son épaule touche la mienne. Antor se tenait à côté de nous, les yeux écarquillés de terreur. C'est alors qu'a surgi de la brume une impressionnante phalange de guerriers. Leurs corps n'apparaissaient qu'à travers les sombres chatoiements de l'air et, à part les vagues lueurs de leurs yeux, ils restaient presque invisibles. Mais on distinguait bien leurs armes : chacun portait un cimeterre accroché à sa ceinture de plantes tressées, et un arc en bois avec une flèche noire pointée sur nous.

— Les goules, a marmonné Antor, en se rapprochant de moi. Où pouvons-nous aller ?

Nulle part, semblait-il. Derrière nous ronflait un brasier infranchissable. Devant nous se tenaient quarante ou cinquante goules armées jusqu'aux dents. Leur mépris pour toute créature vivante était presque palpable. Même les brumes tourbillonnantes du marais semblaient reculer à leur contact. Mon ombre se rétractait, elle aussi, à mes pieds, pour ne devenir qu'une mince ligne de gris.

Appuyé sur mon bâton, je cherchais désespérément une solution. J'avais beau me creuser la cervelle, je n'en trouvais aucune. Et le tremblement de mes jambes n'arrangeait rien. Je tenais à peine debout. Comment me battre dans ces conditions ? Étais-je juste épuisé par les efforts que j'avais fournis pour attirer la clé ? Ou le pouvoir de l'élixir était-il en train de s'affaiblir, comme je le craignais ?

— Elles nous haïssent, m'a soufflé Hallia. Je le sens.

— Moi aussi, je le sens.

Il m'a semblé alors sentir également autre chose. Une impression fugitive, indéfinissable.

— Elles nous haïssent, oui. Et pourtant... j'ai le sentiment qu'il y a quelque chose qu'elles détestent encore davantage.

Elle m'a regardé avec des yeux ronds.

J'ai fait appel à ce qui me restait de pouvoirs pour sonder les goules et tenter de voir plus loin, derrière leurs sombres silhouettes. La colère qui en jaillissait était plus redoutable que la ciguë. En fouillant davantage, j'ai perçu de la trahison et — était-ce possible ? — une douleur profonde et tenace.

Petit à petit, très progressivement, leurs formes se sont précisées. Elles avaient des têtes longues et étroites, surmontées de capuches, de longues tuniques brunes qui descendaient jusqu'au sol et d'énormes mains griffues. J'ai aperçu d'autres visages, grimaçants, durs, haineux. Mais, ce qui m'a surpris plus que tout, c'est ce que j'ai découvert ensuite : les goules étaient attachées ensemble par une espèce de corde. Non, pas une corde. Quelque chose de beaucoup plus lourd, de beaucoup plus cruel.

Des chaînes.

Il n'y avait plus aucun doute. Quelqu'un, ou une force quelconque, avait attaché les goules, leur avait volé leur liberté et, peut-être, leur volonté. Si elles étaient furieuses contre les trois intrus qui osaient s'aventurer sur leur territoire, elles l'étaient encore bien plus contre cet oppresseur invisible.

Hallia a sursauté et tendu le cou.

— Tu sens cette odeur ?

Un parfum de rose ! Je le sentais, bien sûr, ce surprenant parfum, si différent de l'air rance des marais et des fumées à l'odeur de soufre que nous

venions de respirer. Si léger qu'il fût, il réveillait
en moi un souvenir de roses au printemps. Peut-
être aussi évoquait-il un rêve, trop ancien pour
que je m'en souvienne.

Au même moment, la rangée de guerriers
s'est séparée en deux et une femme est apparue.
Grande et fière, elle était vêtue d'une robe
blanche immaculée et d'un châle tressé de fils
argentés. Ses cheveux, aussi noirs que les miens,
lui descendaient jusqu'aux coudes. Elle a souri
en nous voyant. Mais c'était un sourire sans joie.
Ses yeux étaient aussi dépourvus de lumière que
la trace sombre de la flèche.

J'ai cru un instant que je connaissais cette
femme. Sa démarche, ses lèvres, ses cheveux,
tout me rappelait une fille que j'avais rencontrée
à Fincayra, et qui m'avait trahie. Son nom était
Viviane, mais elle se faisait appeler Nimue. J'ai
écarté cette idée : comment une fille de mon âge,
qui avait essayé de me voler mon bâton seulement deux ans plus tôt, aurait-elle pu si vite se
transformer en femme ? Pourtant, la ressem-
blance était frappante. Je l'ai presque reconnue,
tout comme j'ai presque compris pourquoi l'odeur
des roses m'était familière.

Soudain, elle a sorti de derrière son dos un
objet que j'ai aussitôt reconnu. Mon épée ! La
lame éclairée par les flammes semblait me lancer

des signaux de détresse, m'implorant de la reprendre.

Antor s'est raidi.

— Nimue, a-t-il articulé.

Mon sang s'est glacé dans mes veines.

— Oui, petit serviteur, c'est bien moi, a-t-elle répondu d'une voix à peine plus grave que celle de la fille que j'avais connue. Tu ne veux pas me présenter à tes amis ? a-t-elle ajouté en pointant l'épée sur nous. Peut-être que tu ne les reconnais pas sous ces couches de boue.

Hallia, dont l'indignation était plus forte que la peur, s'est avancée vers elle.

— Je suis Hallia, du clan des Mellwyn-bri-Meath, un peuple qui sait depuis longtemps que de beaux vêtements ne peuvent masquer un cœur venimeux.

La femme a plissé les yeux.

— Un peuple qui a appris depuis longtemps à fuir les difficultés au lieu de les affronter.

Sans attendre la réponse d'Hallia, Nimue s'est tournée vers moi.

— Et toi, jeune enchanteur, qui es-tu.

Tout faible et tremblant que j'étais, je me suis redressé autant que j'ai pu.

— Nous nous sommes déjà rencontrés.

— Ça fait bien longtemps, hum ? a-t-elle dit, examinant mon bâton.

Je n'ai rien répondu.

— Dommage, a-t-elle dit, puis, d'un air sinistre, elle a claqué la langue. Je crois que je te préférais avant. Lorsque tu étais plus jeune. A-t-il fait des progrès dans l'art de courtiser ? a-t-elle demandé à Hallia. À l'époque, il était terriblement maladroit.

Hallia l'a foudroyée du regard.

— Mon épée, ai-je lancé. C'est toi qui as mon épée.

Négligemment, Nimue a fait tourner la poignée d'argent qui étincelait dans sa main.

— Mais oui, en effet.

— Rends-la-moi.

— Tu la veux ? Vraiment ?

Elle a parcouru du regard les rangées de goules prêtes à lancer leurs flèches.

— Tu ne songes quand même pas à te battre avec moi ? Ce serait imprudent. Très imprudent. Ces archers ne sont pas des combattants aguerris comme les guerriers gobelins, mais je les ai entraînés à tirer mes propres flèches, et ils tirent très bien.

Je lui ai jeté un regard noir.

— Non seulement tu as vieilli, mais tu es devenue plus cruelle.

Elle a piqué l'air de mon épée.

— Le privilège de l'âge ! Tu connaîtras ça plus tard, jeune enchanteur. Oh oui ! Si toutefois tu survis à cette journée, a-t-elle ajouté avec un ricanement sardonique. Ce qui est fort peu probable.

Elle s'est penchée vers moi. La lueur du brasier dansait sur sa peau pâle. Puis elle a repris tout bas, d'un ton grinçant qui m'a fait frémir :

— Et si, par miracle, tu survis, cette épée ne sera pas la dernière chose que je te volerai. Ça, petit enchanteur, je te le promets.

Elle s'est redressée, a tapoté sa robe, puis a de nouveau parcouru du regard son cercle de guerriers.

— Cependant, alors même que je te parle, je suis tentée de faire preuve de clémence à ton égard.

— Je n'ai pas besoin de ta clémence, lui ai-je lancé.

— Ah non ? Tu n'as pourtant pas l'air très en forme, hum, a-t-elle dit, feignant la sollicitude. Aurais-tu, par hasard, quelques problèmes… avec ton cœur ?

J'ai tressailli.

— Sale chasseresse ! C'est toi qui as envoyé les scarabées ! a lancé Hallia avec colère.

— Peut-être, chair de gibier ! Et j'ai peut-être apporté d'autres bienfaits à ces marais.

Cette remarque a suscité quelques remous et grognements parmi les goules. Nimue les a aussitôt fait taire d'un simple regard, mais leurs ombres ont continué à frémir.

— Comme je te le disais, a-t-elle repris, je suis dans de bonnes dispositions à ton égard. Pour le moment.

Elle s'est avancée, a levé mon épée et l'a enfoncée dans le sol, soulevant une poussière noire. Sans se soucier des taches qui avaient sali sa robe — disparues aussitôt —, elle a poursuivi :

— Les termes de mon marché sont très simples : si tu me donnes cette clé que tu as dans la main, je te rendrai ton épée.

Abasourdi, je regardais la lame plus flamboyante que jamais.

— Tu ferais ça ?

— Je le ferais.

Mon épée ! Je la sentais là, tout près, je pouvais presque la toucher. Mais dès que j'ai vu l'expression de Nimue, si contente d'elle, mes doigts se sont resserrés autour de l'anneau et de son saphir.

— Je ne conclurai aucun marché avec toi. Même pour l'épée.

— Ah, quel dommage ! a-t-elle dit en joignant ses mains blanches. Je vais donc donner l'ordre à mes guerriers de te tuer, ainsi que tes amis. Et je prendrai la clé.

— Tu es une sorcière, Nimue, a lâché Antor. Si mon maître savait…

— Laisse ton stupide maître en dehors de tout ça. Sinon, mes tireurs s'occuperont de toi tout de suite.

Antor, affolé, s'est tourné vers moi.

— Je t'en supplie, ne cède pas ! Si elle s'empare de la clé, tout sera perdu.

Nimue riait doucement.

— Je pourrais peut-être faire un autre geste de clémence, hum ? Juste pour te prouver que mes intentions sont honorables.

— Tu ne sais pas ce que ce mot signifie, ai-je lancé avec mépris.

— Sceptique ? Alors, écoute : avant que tu me donnes la clé, je vais te permettre de l'utiliser. Pour te soigner.

— Non, jeune faucon ! s'est écrié Antor. Ça…

Il n'a pas pu finir sa phrase. Comme pour chasser une mouche, Nimue a fouetté l'air d'un revers de main. Antor est tombé à la renverse, a roulé dans la pente et s'est arrêté juste au bord du brasier. Mais sa manche a pris feu. Tandis qu'il se démenait pour éteindre les flammes avec des poignées de terre, Nimue l'observait, amusée.

— Quelqu'un devrait enseigner les bonnes manières à ce garçon, a-t-elle lancé avant de me fixer à nouveau. Alors, vas-y. Sers-toi de cette clé

pour réparer ce petit problème que tu as au cœur.
Avant que je ne change d'avis.

Son parfum a envahi mes narines.

— A-attends, ai-je balbutié. Pourquoi me
laisserais-tu faire ça ?

— Par pitié, je te l'ai dit. Et aussi par
reconnaissance.

— Par reconnaissance pour quoi ?

Les flammes, en rugissant, ont pris de la hauteur. De tous côtés ont jailli des étincelles qui
ont atterri sur le sol, encore incandescentes. Des
touffes d'herbe se sont enflammées, et de minces
traînées de fumée se sont mêlées à la brume.

— Pour m'avoir conduit jusqu'à la clé,
voyons. Je la cherchais depuis longtemps, tu sais.
En fait, a-t-elle ajouté avec un sourire narquois,
ce n'est pas toi, petit enchanteur, qui m'y as
amenée, mais ton amie aux grands yeux, là.

— Moi ? s'est récriée Hallia. Pour rien au
monde je ne…

— Sans le savoir, naturellement. C'est ça qui
est merveilleux, a continué Nimue en caressant
ses longs cheveux avec une évidente satisfaction.
Quand j'ai su qu'un homme-cerf avait emporté
la clé dans les marais, j'ai pensé que tu finirais
par m'y conduire. Surtout si tu avais la bonne
motivation, a-t-elle ajouté, son long doigt pointé
sur ma poitrine. Le moment était favorable, aussi.

Elle a fait un geste en direction de ses troupes, les sourcils froncés.

— Je commençais, disons, à perdre patience avec mes bonnes amies, ici présentes.

De nouveaux grognements se sont élevés parmi les goules, des arcs se sont bandés, mais un regard de Nimue a suffi à les calmer.

— Elles avaient fait du bon travail, je le reconnais, pour empêcher les visiteurs indésirables de pénétrer dans les marais, et pour repousser les limites là où j'avais besoin de place pour mes recherches. Par contre, lorsqu'il s'est agi de m'aider à trouver ce que je voulais vraiment, elles ont été lamentables.

— Alors, c'est toi qui es responsable de la destruction de cette forêt, me suis-je écrié, furieux. Et du village, aussi.

— Oh, pas uniquement de celui-là. Et pas juste de quelques arbres par-ci par-là ! Vous ne vous rendez pas compte, ma tâche n'a pas été aussi facile qu'il y paraît.

D'un regard de satisfaction envers elle-même, elle a repoussé nonchalamment une étincelle de sa robe.

— Je ne pouvais pas débarrasser les marais des intrus moi-même. Cela aurait éveillé trop de soupçons… sans parler des quelques ennemis que j'ai encore sur cette île antique.

Elle s'est interrompue un moment pour remonter son châle sur ses épaules.

— La solution, bien sûr, était de donner à d'autres une partie de mes pouvoirs — pas tout, attention, mais assez pour causer des dégâts — et de préférence à des gens presque aussi mal intentionnés que moi, sinon aussi intelligents. Ainsi, personne ne soupçonnerait que j'étais impliquée là-dedans. Et les goules, crois-moi, étaient ravies de coopérer. Elles ne demandaient même que ça ! Sinon, comment aurais-je pu leur confier mes pouvoirs magiques et mes armes ?

D'une chiquenaude sur la lame, elle a fait tinter mon épée.

— D'où ma reconnaissance, et ce petit moment de clémence. Maintenant, dis-moi. Acceptes-tu ma proposition d'utiliser la clé, oui ou non ?

Hallia s'est penchée vers moi. Ses cheveux brillaient à la lueur du feu.

– Je ne lui fais pas plus confiance que toi, a-t-elle dit. Mais tu ne peux pas refuser cette chance d'avoir la vie sauve.

— Sages paroles, femme-cerf. Alors, jeune enchanteur, décide-toi, a-t-elle repris en mettant ses mains sur ses hanches.

Lentement, j'ai hoché la tête. D'une main tremblante, j'ai approché la clé de ma poitrine.

En même temps que je l'approchais, il me semblait que le nœud-de-sang se resserrait autour de mon cœur. De ma vie.

— Maintenant, tu n'as qu'à évoquer mentalement une image claire du sortilège que tu veux rompre, et tourner la clé. Allons, dépêche-toi, a insisté Nimue, les yeux fixés sur le saphir étincelant. Ma patience a des limites.

J'ai inspiré profondément. Ma poitrine palpitait ; respirer, même, était un effort. J'ai regardé Hallia, puis la clé. Enfin, j'ai concentré mes pensées sur le sortilège qu'il fallait détruire en priorité.

Soudain, au lieu de diriger la clé vers moi, je l'ai pointée sur les goules et je l'ai tournée. La sorcière, médusée, a lâché un cri.

Avant qu'elle ait pu faire le moindre geste, l'air a résonné des bruits de lourdes chaînes qui se brisaient et tombaient par terre. Les goules ont poussé une acclamation plus puissante que le rugissement du brasier. Certaines ont jeté leur arc, leurs flèches et leur épée dans le feu qui, en les consumant, s'est mis à flamber, crépiter et siffler de plus belle. Enfin, les goules elles-mêmes se sont fondues dans les vapeurs, libérées à jamais du sortilège de Nimue.

— Comment as-tu osé ? a hurlé la sorcière, folle de rage, les poings serrés. J'avais encore besoin de ces créatures ! J'avais d'autres projets pour elles. Maintenant, elles vont vagabonder librement avec des pouvoirs qui m'appartiennent !

Puis, d'un seul coup, sa fureur s'est calmée. Un sourire impénétrable s'est dessiné sur son visage

— Soit. Mais rappelle-toi, jeune enchanteur. En voulant me nuire, tu n'as fait que te condamner toi-même. Oh oui ! Plus sûrement que tu ne l'imagines, a-t-elle conclu avec un petit rire.

Là-dessus, elle s'est enveloppée dans son châle et a disparu dans les tourbillons de brume, ne laissant derrière elle qu'un persistant parfum de rose.

# ∾ XIX ∾

## UN GRAND POUVOIR

**É**puisé, je me suis affaissé sur mon bâton qui s'est enfoncé dans la terre. La tête me tournait, après cette confrontation avec Nimue. La douleur entre mes omoplates n'avait jamais été aussi vive.

Hallia m'a regardé, déconcertée. Ses cheveux reflétaient encore les lueurs du feu.

— Qu'est-il arrivé aux goules ? Et pourquoi tu ne t'es pas guéri toi-même, jeune faucon ?

— J'ai senti leur colère, comme toi. Mais aussi leur souffrance. Elle les avait enchaînées et forcées à la servir. Alors, j'ai choisi de les libérer. Et si j'ai contrarié les plans de cette sorcière, tant mieux.

Ma respiration était saccadée.

— Et puis je me suis dit que si elle voulait que j'utilise la clé sur moi, il devait y avoir un piège quelque part.

— Pour ça, tu as eu raison, a approuvé Antor.

Le visage tout barbouillé de suie, il s'est approché de nous. Des petites traînées de fumée s'échappaient encore de sa manche. Il ne semblait guère plus en forme que moi.

— Ça va ? ai-je demandé.

— Physiquement, oui. Mais ma quête est fichue, a-t-il fait en secouant la tête.

— Pourquoi ? Nous avons toujours la clé. Je t'ai déjà dit que quand je m'en serais servi, tu pourrais l'apporter à ton maître.

— Tu ne peux plus t'en servir, ni moi non plus, a-t-il soupiré.

— Pourquoi ? ai-je demandé en relevant l'objet enchanté, le dernier des Sept Outils magiques. Elle ne l'a pas prise.

— Pour une bonne raison, a-t-il répondu d'un air sombre. Regarde.

De sa main noircie, il m'a pris la clé. Hallia et moi sommes restés figés sur place : le saphir ne brillait plus sur l'anneau. À sa place, il y avait un morceau de charbon. Toute la clé avait perdu son lustre et, j'en avais conscience, quelque chose de bien plus précieux.

D'une voix caverneuse, Antor a repris :

— C'est sans doute pour ça qu'il m'avait dit de ne laisser personne l'utiliser ! Car ses pouvoirs, bien que très puissants, ne pouvaient agir qu'une seule fois. À présent, mon maître est condamné.

Vidé de mes forces, je me suis laissé glisser jusqu'au sol.

— Moi aussi, ai-je gémi, à genoux dans la poussière noire.

— Tu ne savais pas, a dit le garçon, posant la main sur mon épaule.

– Tout ça à cause de mon arrogance ! Tu as pourtant essayé de me prévenir. Maintenant les seules qui tireront profit du dernier Outil magique sont ces goules.

Hallia, les lèvres serrées, s'est tournée vers le feu qui ronflait toujours autour de l'arbre. Elle a tapé le sol du pied.

— Tous les efforts de mon père... pour quoi ? Il en serait malade. Et les goules n'en seront même pas reconnaissantes. Ce n'est pas dans leur nature.

D'un air sombre, j'ai secoué la tête.

— Quel idiot je suis ! Pardonne-moi si tu peux, Antor.

Ses yeux cristallins m'on examiné.

— Je te pardonne. J'espère seulement que mon maître me pardonnera aussi.

J'ai laissé tomber l'objet inutile. S'il réfléchissait encore la lumière des flammes, son feu intérieur, lui, s'était éteint.

— Maintenant, nous allons tous les deux mourir.

— Attends, a rectifié Antor tout en passant une main dans ses cheveux bouclés. Pas nécessairement.

— Que veux-tu dire ? ai-je demandé, le souffle court.

— Mon maître pourrait peut-être encore te sauver, si nous t'amenons auprès de lui à temps.

Hallia et moi nous sommes échangés un regard sceptique. J'ai secoué la tête.

— Me sauver, moi ? Après ce que je lui ai fait ?

— Mon maître est un homme très bon, a répondu Antor avec un sourire nostalgique. Et il a des talents de guérisseur. C'est sa spécialité. S'il peut t'aider, il le fera. Ça, j'en suis certain.

Il a frotté son menton roussi, pensif.

— En plus, il y a quelque chose de... de différent en toi, jeune faucon. Mon maître le verra aussi, j'en suis sûr.

Hallia a jeté un regard sur les vapeurs qui tourbillonnaient.

— J'espère que tu as raison, a-t-elle dit. C'est peut-être notre dernière chance.

Elle m'a aidé à me relever et, appuyé sur mon bâton, j'ai clopiné jusqu'à mon épée, toujours plantée dans le sol. La lame, toute brillante, semblait m'attendre. Je l'ai prise par la poignée et j'ai tiré. Elle s'est légèrement pliée mais est restée enfoncée. Agacé par mon manque de force, j'ai fait une nouvelle tentative. Sans succès.

— Attends, a proposé Antor, je vais essayer.

À son tour, il a saisi la poignée et, brusquement, il s'est immobilisé, l'air surpris.

— Elle est bizarre, cette épée, a-t-il déclaré.

J'ai approuvé de la tête.

— C'est qu'elle a un pouvoir, un destin particulier.

Il a rassemblé ses forces et tiré. La lame est sortie de terre aussi aisément qu'un poisson saute hors de l'eau. J'étais surpris, bien sûr, et quelque peu contrarié. Le regard encore brillant, Antor m'a tendu l'épée. Tout en m'interrogeant sur son expression, j'ai pris mon arme et l'ai glissée dans son fourreau, heureux de l'avoir retrouvée. Puis j'ai examiné la fente laissée dans le sol par la lame.

Tout en me frottant le menton, j'ai observé le trou laissé par la lame dans le sol.

— Je me demande pourquoi Nimue l'a laissée là.

— C'est simple, a répondu Antor. Elle ne lui servait plus à rien. Elle en avait seulement besoin pour t'attirer dans son piège. Quand elle a vu que ça ne marcherait pas, elle l'a abandonnée. Comme elle le fait avec tout le reste, choses ou personnes, dès qu'elle n'en a plus besoin.

— Elle est horrible, a grogné Hallia. Ce qu'elle a dit là, à ton sujet, a-t-elle ajouté en se tournant vers moi, c'était un mensonge, n'est-ce pas? Il n'y a jamais rien eu entre vous deux, n'est-ce pas?

— Mais non, voyons! Elle a juste essayé une fois de me subtiliser mon bâton.

J'ai froncé les sourcils, perplexe.

— Ce que je ne comprends pas, c'est comment elle a pu vieillir si vite.

— Je peux l'expliquer, a déclaré Antor. Car elle vient du même lieu que moi.

— Quel lieu?

Le garçon a baissé la voix pour n'être plus qu'un murmure.

— D'un pays qu'on appelle le pays de Galles, une partie de cette île que mon maître appelle Gramarye. Et elle vient aussi d'une autre époque… qui se situe dans l'avenir.

Mes jambes déjà flageolantes ont failli céder.

— Aide-moi à comprendre. Tu dis que toi et Nimue êtes venus *d'un autre temps*? Ici, dans ces marais?

Il a hoché la tête gravement.

— Cela exige sans doute un grand pouvoir.

— Oui, a-t-il dit, et on pouvait le voir rougir malgré la suie. Mais c'est un pouvoir qui n'appartient à personne. Il appartient au Miroir. C'est comme ça que je suis venu. Et c'est comme ça que je vais t'emmener à Gramarye.

# TROISIÈME PARTIE

# LES BRUMES DU TEMPS

Nous avons passé le reste de la journée à patauger dans les marais. Le jour déclinait en même temps que nos forces. Hallia et moi n'avions rien avalé d'autre qu'un peu d'eau depuis notre repas de légume de la veille ; Antor avait sûrement aussi faim que nous. Mais le manque de nourriture était le moindre de mes soucis. À l'intérieur de ma poitrine, je sentais un resserrement lent et implacable.

Tout mon corps me faisait mal. Marcher et même respirer devenait de plus en plus difficile ; j'avais des élancements dans les yeux et la gorge. Cela m'a rappelé un temps où, enfant et fiévreux, je m'agitais sur ma paillasse ; j'entendais ma mère chanter doucement, pendant qu'elle me tamponnait le front avec des linges mouillés et me versait des potions calmantes dans la gorge. Elle me manquait, soudain, même si je savais qu'aucune de ses plantes n'aurait pu m'aider aujourd'hui. Pourquoi pensais-je alors que le maître d'Antor, quels que soient ses talents, avait plus de chances de réussir ?

À mon grand étonnement, Antor semblait bien connaître les marais. En quittant la hauteur où nous étions, il nous a fait traverser un champ inondé, parsemé de troncs d'arbres moussus semblables à des tombes abandonnées. Il avançait avec une détermination inébranlable, s'arrêtant de temps à autre pour aider l'un de nous, généralement moi, à franchir les passages les plus délicats. À partir du moment où nous avons quitté l'Arbre-Flammes, il n'a pratiquement pas ralenti son allure, changeant rarement de direction et ne revenant jamais sur ses pas.

À un moment, ma botte est restée prise dans la boue, ce qui m'a fait tomber face la première dans le marais. Grâce à mon bâton, j'ai réussi à me relever, au prix d'efforts épuisants. Tandis que, tout dégoulinant, je retournais chercher ma botte à cloche-pied, Antor est venu à la rescousse. Il a attrapé le bout de cuir qui dépassait à peine, a tiré dessus et, après avoir vidé la boue à l'intérieur, me l'a tendue.

— Voilà ! a-t-il annoncé. Nous serons bientôt arrivés.

— Comment le sais-tu ? ai-je haleté en renfilant ma botte. Tu es déjà venu ici ?

Il a hoché la tête.

— Je te l'ai dit, c'est par là que je suis arrivé. Mais ce n'est pas vraiment moi qui nous guide. C'est le Miroir.

Je l'ai regardé avec des yeux ronds, le souffle court.

— Il sait toujours qui est déjà passé par là, a-t-il expliqué. Il aide les gens à retrouver leur chemin. Mais quand nous le traverserons, c'est mon maître qui nous guidera.

Décidément, je comprenais de moins en moins.

— Quand nous le *traverserons* ?

Il s'est éloigné sans ajouter un mot. En fait, durant la marche qui a suivi, aucun de nous ne parlait, sauf de temps à autre pour maudire une branche qui s'accrochait à nos vêtements, ou les nuages à l'odeur de soufre qui nous piquaient les poumons. Dans ce silence, les hurlements des goules semblaient encore plus forts qu'avant. Mais j'avais trop peu de force pour m'en préoccuper vraiment. Mon corps et mes jambes continuaient à s'affaiblir. Tout ce que je portais — mon bâton, mes bottes, même mon épée — me paraissait plus lourd à chaque pas.

Quelle terrible faute j'avais commise en utilisant cette clé ! Non seulement j'avais gâché la quête d'Antor, mais je m'étais sans doute condamné à mourir. Et pour quoi, finalement ?

Nimue rôdait toujours dans les marais. Peut-être était-elle moins puissante sans les goules et privée du pouvoir qu'elle leur avait donné, mais elle était toujours aussi intrigante et assoiffée de vengeance. Je sentais encore sa présence malfaisante, aussi tangible que mon propre bâton. J'étais convaincu qu'elle n'en avait pas fini avec ses plans diaboliques, pour le marais, comme pour moi.

Enfin, nous avons atteint une espèce d'arche grossièrement taillée. Des plantes à feuilles rouges grimpaient le long des deux piliers de pierre sur lesquels reposait la traverse. Un enchevêtrement de mousses ruisselantes pendait du sommet.

J'ai rejoint péniblement les autres et me suis placé aux côtés d'Hallia. Mon regard a été aussitôt attiré par le miroir mouvant à l'intérieur de l'arche. La surface aux reflets étranges renvoyait des images confuses et déformées de nos visages, presque méconnaissables. Le miroir se tordait, bouillonnait tel un rideau de brume. De sombres vapeurs, en effet, tourbillonnaient dans ses profondeurs, mais elles étaient très différentes de celles des marécages.

Car la brume dans le miroir dessinait des motifs, comme s'il était une entité propre. Les nuages se nouaient, puis se défaisaient pour reformer des nœuds, lesquels se déployaient pour laisser place à des horizons brumeux, où on apercevait des vallées, des maisons, des esquisses de collines. Puis toutes ces vues se mélangeaient, se fondaient les unes dans les autres, formant un nœud unique qui se défaisait à nouveau. Le processus se répétait ainsi à l'infini, mais chaque fois avec de nouvelles variations.

— Ce miroir... ai-je commencé, en observant mon étrange reflet. Il est presque vivant.

Antor a hoché la tête.

— Mon maître serait d'accord avec toi. Le Miroir est en réalité un passage. Il mène à ce qu'il appelle les Brumes du Temps, qui ont aussi eu d'autres noms au cours des âges.

Appuyé sur mon bâton, je scrutais l'intérieur de l'arche avec un mélange de crainte et de fascination. *Les Brumes du Temps.* J'aimais autant le nom que l'idée. Quand Cairpré m'enseignait les traditions de Fincayra et d'autres pays, il s'arrêtait souvent pour réfléchir à la notion de temps. Car il percevait comme moi ses pouvoirs mystérieux. Il savait aussi que j'avais toujours rêvé de me déplacer à travers le temps, et même, quand j'étais tout jeune, de le remonter. Rajeunir, alors que le monde autour de moi vieillirait ! Une drôle d'idée, en vérité, mais que je caressais toujours en secret.

Le Miroir s'est bombé, déformant encore nos visages. Un œil d'Hallia est devenu si gros qu'il semblait prêt à exploser, puis il s'est brusquement fracturé en une douzaine d'yeux minuscules, tous fixés sur nous. Pris de doutes, j'ai interrogé Antor :

— Tu es sûr que c'est bien là que nous devons aller ?

— J'en suis sûr. C'est pour après, quand nous sortirons de l'autre côté, que je ne suis pas sûr, a-t-il avoué, les yeux rivés sur ses bottes couvertes de boue.

Hallia et moi nous sommes regardés, inquiets.

— Qu'est-ce que ton maître a dit de faire le jour où tu voudrais retourner chez toi ?

Antor a inspiré longuement.

— Juste de l'appeler. Il a juré de me ramener. Ma tête me faisait mal.

— Il pensait que tu aurais la clé. Est-ce qu'il comptait sur elle pour l'aider à te trouver ?

— Je… enfin, je ne sais pas.

Une douleur fulgurante dans ma poitrine m'a arraché un cri. Je suis tombé à genoux dans la boue. La douleur s'est calmée rapidement, mais elle m'a laissé faible et tremblant.

Hallia s'est agenouillée à côté de moi, a posé sa main sur mon front.

— Tu es brûlant ! Jeune faucon, c'est imprudent. Tu ne peux pas entrer. Ce n'est pas un
miroir, mais plutôt une terrible tempête ! Quelle
chance as-tu d'en sortir vivant ? Il doit y avoir un
meilleur moyen.

Un nouveau pincement dans ma poitrine m'a
fait tousser.

— Non, il n'y en a pas.

— Soit, a fini par dire Hallia, à regret. Dans
ce cas, je viens aussi.

— Si j'étais toi, je m'en garderais bien, a
lancé une voix fluette.

Saisis d'étonnement, nous nous sommes tus.
Qui parlait ainsi ? Autour de nous, il n'y avait
personne. Juste l'arche de pierre et le Miroir.

— Qui êtes-vous ? a crié Antor.

J'ai essayé de me relever en m'appuyant sur
le bras d'Hallia et sur mon bâton.

— Oui, montrez-vous.

— Je me montre seulement quand j'en ai
envie, a sifflé la voix.

Tout à coup, une patte féline est sortie de la
mousse au-dessus de l'arche. Tandis qu'elle s'étirait et sortait ses griffes, une deuxième patte a
surgi, puis une troisième et une quatrième. Elles
se sont étirées longuement.

— Hum, a fait la voix. Vous avez de la
chance, vous tombez à un bon moment.

Le ton de ces paroles, entre grognement et ronronnement, ne me rassurait guère.

— Peu m'importe ce que tu crois, a continué la voix, comme si elle avait entendu mes pensées. Et toi, femme-cerf, tu devrais avoir honte.

Hallia a pâli.

— Imaginer que je puisse être une sorcière ! Et qui sent la rose, par-dessus le marché… Beurk. Quelle idée dégoûtante !

Soudain, les griffes se sont rétractées et deux oreilles aux pointes argentées ont émergé de la mousse. Le reste de la tête a suivi lentement. Marron, tachetée d'argent, elle ressemblait exactement à celle d'un chat, à un détail près : elle n'avait pas d'yeux. La créature s'est levée, a roulé les épaules, étiré ses muscles, avant de s'asseoir au bord de la traverse. Puis, tranquillement, elle a commencé à se lécher les pattes, comme si nous n'existions pas.

Au bout d'un moment, le chat sans yeux a repris la parole.

— Cela est sans importance, de toute façon. Il vous suffit de savoir que je suis… disons, un ami du Miroir.

Antor a ouvert la bouche, mais le chat ne l'a pas laissé parler.

— Vous ne me croyez pas ? a-t-il continué d'un ton plus brusque. Enfin, que vous me croyiez ou non m'est complètement égal. Mais, a-t-il ajouté en grattant la pierre avec ses griffes, si je ne suis pas un familier du Miroir et des brumes qu'il contient, vous pourriez quand même vous demander comment je sais autant de choses sur ce sujet ?

Un peu chancelant, je me suis rapproché de l'arche.

— Qu'est-ce que tu sais ?

Le chat a fait le gros dos. Avec ou sans yeux, il avait l'air de me fixer droit dans les miens. Comme s'il me scrutait jusqu'au plus profond de moi-même. Enfin, son dos s'est relâché et il m'a répondu :

— J'en sais plus que je n'ai envie d'en dire. Mais sachez au moins ceci : ces brumes sont pleines de, hum, de chemins, où vous rencontrerez beaucoup de voix et d'ombres. Pas de ces petites ombres chétives comme celles qui collent à vos bottes. Non, je vous parle d'ombres immenses, bien plus terrifiantes.

À ces mots, la mienne a agité les bras, comme pour fouetter l'herbe à mes pieds. Sans effet, bien sûr — pas une goutte de boue n'a éclaboussé le chat —, mais l'intention était fort claire. J'ai presque eu pitié d'elle, sur le moment.

Le félin, néanmoins, ignorant son geste, a calmement léché la face interne de ses pattes avant.

— Tous ces chemins sont difficiles, a-t-il continué d'un ton indolent. Si l'un de vous survit, ce sera déjà bien. Deux y arriveront peut-être, quoique les chances soient minces.

Il a expiré, à moitié un grognement et à moitié un soupir, avant de continuer :

— Mais trois, ça ne marchera jamais. Vous mourrez tous, aussi sûrement que si vous étiez avalés par un puits sans fond.

— Mais mon maître nous aidera, a protesté Antor.

— Il essaiera, a sifflé le chat. Il vous enveloppera dans un cocon protecteur comme il l'a fait pour toi quand tu es venu ici. C'est pourquoi deux d'entre vous, à la rigueur, pourraient survivre. Deux, mais pas trois. Cela dit, je m'en moque. C'est votre sort qui est en jeu, pas le mien, a-t-il conclu en s'étirant.

Hallia était tendue. Elle s'est tournée vers moi.

— Il dit la vérité. Je le sens.

— Moi aussi. Mais qui... devrait rester ?

Ma voix tremblait encore plus que mes jambes.

— Pas toi, a répondu Hallia, le regard hésitant. Et pas Antor, dont le maître, espérons-le, trouvera le moyen de te guérir. Je t'attendrai ici, quoi qu'il arrive, a-t-elle dit en me serrant le bras.

La chat a enfoncé ses griffes dans la mousse en ronronnant.

Avec mes bras, qui me semblaient lourds comme des troncs d'arbre, j'ai serré Hallia contre moi.

— Je reviendrai, c'est promis.

— Tu te rappelles quand... quand j'ai voulu te dire quelque chose? a-t-elle commencé, embarrassée. Là-bas, dans la prairie, tu te souviens?

Elle a passé une main dans mes cheveux, me décoiffant.

— Eh bien, je voudrais te le dire maintenant, plus que jamais. Mais ça ne va pas... ça ne peut pas aller ici... pas comme ça.

J'ai secoué la tête tristement. Finalement, elle s'est écartée. Privé de son soutien, j'ai failli tomber, mais Antor s'est vite approché et j'ai pu m'appuyer sur lui. Prenant une profonde inspiration, il a rejeté ses épaules en arrière et fait face aux brumes tourbillonnantes du Miroir.

— J'arrive, maître! Avec un ami. Je vous en supplie, ramenez-nous tous les deux.

La surface brillante a soudain vibré. Elle s'est fendue. De la fente est sorti un tentacule de brume, qui s'est dirigé vers le garçon, lui a frôlé le menton, s'est enroulé autour de son oreille, puis s'est retiré. Tout d'un coup, le Miroir est devenu tout plat et nous a renvoyé clairement notre image. Elle était plus nette qu'avant mais plus sombre. En même temps, le son d'un carillon lointain, venu des profondeurs, a résonné quelque part derrière la surface. Mon épée a perçu le son et y a répondu par un léger tintement.

— Bien sûr, ça ne me concerne pas, a dit le chat, mais il serait peut-être bon de vous tenir par la main.

Il s'est arrêté un moment, avant de me fixer d'un oeil invisible.

— Et ne vous lâchez jamais, surtout. *Jamais*, vous entendez. À moins qu'il vous soit égal de vous perdre définitivement.

Alors que le félin reprenait sa toilette, j'ai pris Antor par la main. Je me suis retourné pour voir Hallia et j'ai senti une autre douleur, plus profonde, dans ma poitrine. Puis, sans un mot, nous sommes entrés dans le Miroir.

## ∽ XXI ∽

## DES VOIX

**A**u moment où nous avons pénétré dans le Miroir, nos corps se sont confondus avec nos reflets. Quelque chose s'est brisé, et une force puissante nous a tirés en avant, nous plongeant dans le noir. L'air s'est épaissi, durci. En même temps, il est devenu froid, d'un seul coup, comme si nous étions ensevelis sous une montagne de neige.

J'ai senti Antor serrer ma main. Mais je ne pouvais pas me tourner vers lui, car mon corps était complètement raide, comprimé par la lourde obscurité qui nous enveloppait. J'ai essayé de bouger, de lever les bras. Sans succès. Respirer, et même penser, est devenu de plus en plus difficile.

Puis, miraculeusement, l'étau s'est desserré. J'ai pu tourner l'épaule, bouger la tête ; mes poumons se sont remplis à nouveau. L'air s'est réchauffé et rapidement changé en brume légère, mais assez solide pour supporter notre poids. En même temps, tout est devenu plus clair. J'ai jeté un coup d'œil à Antor qui, en retour, m'a lancé un regard plein d'appréhension.

Nous étions debout, les pieds plantés sur un sol vaporeux qui s'étendait à l'infini dans toutes les directions. De gros nuages se ruaient sur nous, puis repartaient aussi vite. Des colonnes et des spirales jaillissaient des nuages tels des arbres qui pousseraient déjà grands dans une forêt. Puis elles retournaient au néant. Des formes vaguement reconnaissables apparaissaient à tout moment, flottant un bref instant à nos côtés. Des creux se transformaient en gorges, des gorges en montagnes, et des montagnes disparaissaient d'un seul coup.

Tout autour de nous, de vagues silhouettes émergeaient, se transformaient et s'évanouissaient. Je ne reconnaissais aucune image, mais je sentais un afflux d'impressions familières. Certaines formes, séduisantes, tentaient de me retenir, comme un rêve que je voulais me rappeler. D'autres, plus inquiétantes, tentaient de s'accrocher à moi, comme une peur secrète qui m'aurait toujours poursuivi.

Bien qu'immobiles, nous nous enfoncions pourtant davantage dans la brume. Nous suivions une sorte de courant, semblait-il... Un courant qui nous conduisait vers une mystérieuse destination. Était-ce la nôtre ou celle de ce courant ? Que ce soit l'une ou l'autre, même si je ne m'étais pas senti si faible, je n'aurais pas pu résister à cette attraction inexorable.

Tandis que les vapeurs nous entraînaient toujours plus loin, je repensais à toutes les brumes qui avaient traversé ma vie. Durant mon enfance à Gwynedd, j'aimais le spectacle du brouillard matinal s'élevant au-dessus des prés, des arbres ou du sommet enneigé de Y Wyddfa. Comme je rêvais de la toucher, de la tenir, cette rivière éphémère qui ondoyait dans l'air ! Mais je n'arrivais jamais à m'en approcher suffisamment. Chaque fois que mes mains étaient sur le point de l'attraper, elle m'échappait.

La première fois que j'avais traversé les mers pour aller à Fincayra, je m'étais trouvé bloqué par un extraordinaire mur de brume qui avait fini par s'entrouvrir pour me laisser passer. Plus tard, alors que je me rendais dans l'Autre Monde chargé du corps inerte et de l'esprit de Rhia, une autre sorte de brume tourbillonnait autour de moi. Plus lumineuse à chaque pas, elle donnait à tout ce qui m'entourait le lustre des coquillages polis. Y compris à l'Arbre de l'Âme, dont les énormes racines, au lieu de descendre, s'élevaient pour soutenir les terres au-dessus, et dont les branches couvertes de rosée ne faisaient qu'un avec les nuages. Les légendes que m'avait

racontées Hallia étaient elles-mêmes tissées de
ces fils insaisissables.

À présent, Antor et moi entrions dans un
nouveau monde de brume. Soudain, une gigantesque vague de vapeurs s'est avancée vers nous
à grande vitesse. Alors que la main d'Antor
serrait à nouveau la mienne, la vague nous a sub-
mergés. Pendant un moment, j'ai été complètement désorienté. Je ne voyais que de la brume
autour de moi ; je ne sentais que le froid sur ma
peau. Puis, brusquement, elle s'est dissoute.
J'étais toujours debout, avec mon bâton dans une
main et, dans l'autre... rien ! Antor avait disparu.
J'étais seul.

L'avertissement du chat sans yeux a résonné
dans ma tête : *Et ne vous lâchez jamais, surtout.
Jamais, vous entendez. À moins qu'il vous soit égal
de vous perdre définitivement.* J'ai cru que j'allais
tomber, et il m'a fallu rassembler toutes les
maigres forces qui me restaient pour me maintenir debout. Je sentais la vague de brume autour
de moi, qui m'emportait. Mais où donc ? De
sombres vapeurs m'envahissaient l'esprit, obscur-
cissaient mes pensées. J'étais de plus en plus certain que cet endroit était devenu ma tombe.

Enfin, le mouvement s'est ralenti. La vague
a paru se retirer peu à peu, de mon esprit et du
monde environnant. La brume autour de moi

s'est mise à trembloter. Elle s'est assombrie, s'est coagulée, formant des images à la fois précises et colorées. J'ai aperçu alors des collines rocheuses, des arbres courbés par des vents incessants — des aubépines, des frênes, des chênes. Ici, des ajoncs, là un village de chaumières en ruines. C'était un paysage aux contours bien nets. Un paysage familier.

Gwynedd ! L'endroit qui, à l'époque d'Antor, serait appelé Gramarye. Mais à quelle époque étais-je ? Dans celle d'Antor ou dans la mienne, des années plus tôt ?

Une silhouette est apparue, sortant des arbres : un garçon à la démarche maladroite, aux longs cheveux noirs entremêlés de feuilles et d'herbes. Il s'est baissé pour observer une petite fleur jaune, bordée de bleu. Il l'a cueillie délicatement, a soufflé doucement sur ses pétales. Soudain, mes doigts se sont resserrés autour de mon bâton : j'ai compris de quand datait cette scène, et je connaissais ce garçon.

C'était moi. C'était ma propre vie que je voyais ainsi se dérouler sous mes yeux.

L'image dans la brume, bien que floue sur les bords, était tout à fait claire. Je la percevais avec acuité, comme la souffrance qui avait marqué cette période. Le garçon a jeté un coup d'œil hésitant vers une cabane en bordure du village. Je connaissais la cause de ses hésitations : il se demandait s'il donnerait la fleur à la femme avec laquelle il partageait cette cabane. Celle qui prétendait être sa mère, mais refusait de parler de leur passé.

Tout à coup, le garçon s'est tendu. Très lentement, il s'est tourné vers moi. Ses yeux noirs et brillants me dévisageaient tout comme je le dévisageais à l'aide de ma seconde vue. Soudain, il s'est rapproché. Il était là, au premier plan. Je ne voyais plus rien de ce qui l'environnait, pas même la fleur qu'il tenait dans sa main : seulement son visage. Je me suis attardé sur ce visage, tellement plus jeune et plus beau que le mien. J'avais l'impression d'être devant un miroir enchanté.

Subitement, ses traits juvéniles ont changé. Ses yeux ont perdu leur éclat ; de profondes cicatrices sont apparues sur ses joues et son front, autrefois lisses. Son nez s'est recourbé, son menton, allongé. Mais ce qui a le plus changé, c'est son expression. Horrifié, il a levé les mains vers son visage et s'est griffé les joues.

— Va-t'en ! a-t-il crié, d'une voix qui ressemblait beaucoup à la mienne. Tu n'es qu'un enfant, et tu es blessé... aveugle pour toujours. Tu ne trouveras que de la douleur si tu restes ici. Fais demi-tour tant qu'il est encore temps !

— Mais je ne peux pas retourner en arrière, ai-je crié en me cramponnant à mon bâton pour ne pas perdre pied. J'ai besoin d'aide... et vite, sinon je vais mourir.

— Pas ici, a-t-il hurlé. Ici, tu périras, c'est sûr... Oh, les flammes ! Elles reviennent. Elles te brûleront de nouveau !

Instinctivement, j'ai porté les mains à mon visage. Comme le garçon devant moi, j'aurais voulu effacer les cicatrices qui sillonnaient ma chair. Mais même si j'avais pu les dissimuler sous une barbe épaisse, je savais que je les sentirais toujours, que jamais je n'oublierais la terreur de ce jour maudit.

Au même moment, j'ai entendu une autre voix m'appeler par mon nom. Je me suis retourné brusquement en essayant de ne pas perdre l'équilibre, et j'ai vu une autre forme émerger de la brume. Les traînées vaporeuses se sont écartées, laissant apparaître un visage que je connaissais bien : celui de ma mère.

— Emrys, a-t-elle supplié, ses yeux bleus sondant les miens, écoute-moi, mon fils ! De nouvelles souffrances, de nouvelles brûlures t'attendent si tu t'éloignes trop de Fincayra.

D'un geste de la main, j'ai essayé de me débarrasser du rouleau de brume qui s'enroulait autour de mon bras.

— Mais je dois partir pour me faire soigner.

— Non, mon fils, a-t-elle dit, secouant sa chevelure dorée. Tu as le pouvoir de le faire toi-même. Tu ne le sais donc pas, depuis tout ce temps ?

— Non, mère, cette fois, c'est trop grave.

Elle a souri avec amour.

— Mais tu es un guérisseur, mon fils. Et tu le seras toujours. Un guérisseur aux dons exceptionnels. Viens à la maison avec moi. Par ici, a-t-elle dit, en me faisant signe de la suivre. Je te guiderai, comme je l'ai fait autrefois.

Déconcerté, j'ai regardé le visage terrifié du garçon.

— Ne la suis pas, a-t-il insisté. Tu n'y gagneras que de la souffrance, encore plus de souffrance.

Un nouveau visage a alors surgi, cette fois dans les nuages au-dessus de moi. J'ai senti son ombre m'envelopper, alors que la mienne, toute petite, tremblait à mes pieds. Avec précaution, j'ai levé la tête.

— Merlin, a grogné l'homme, au visage dur comme celui d'une statue. C'est moi, ton père, qui t'appelle… et qui te donnerais un ordre si seulement tu voulais obéir.

Au prix d'un gros effort, je me suis redressé un peu en prenant appui sur mon bâton et, avec un air de défi, je lui ai lancé :

— Tu n'as jamais pu me commander.

— Ça ne t'a pas réussi ! a rugi l'homme, son visage toujours renfrogné. Car tu as trop longtemps écouté les autres, ceux qui t'ont dit que tu étais destiné à être un enchanteur.

— C'est un guérisseur, a rétorqué ma mère. Et un grand.

— Enchanteur, guérisseur, c'est pareil ! a tonné mon père, dont le bandeau d'or brillait sur le front. Tu n'es rien de tout ça ! Écoute-moi, fils de Stangmar ! Tu n'es destiné qu'à une chose, comme ton père.

De plus en plus épuisé, j'ai demandé :

— À quoi donc ?

— À l'échec.

Ses paroles ont résonné dans les nuages alentour. Tout en gardant son air sévère, son visage a reflété un instant une douleur profonde et un remords encore plus profond.

— Tu es issu d'une mauvaise souche, mon fils. Tu ne pourras rien y changer, quoi que tu fasses. Tous tes rêves, tous tes buts sont aussi insaisissables que la brume elle-même.

Pendant un long moment, je l'ai regardé. Mon corps déjà alourdi par la fatigue me semblait encore plus lourd après ces paroles. Mes doigts ont glissé le long de mon bâton.

— Viens par ici, a-t-il déclaré. Je t'enseignerai ce que je peux, pour qu'au moins tu sois préparé. Car si tu es destiné à échouer, tu devrais savoir...

– ... ce qu'il faut pour être un enchanteur, a lancé une autre voix derrière moi.

Je me suis aussitôt retourné, malgré la brume dense qui s'enroulait autour de mes jambes comme les serpents du marais, et je me suis trouvé face à mon mentor, Cairpré.

— Tu es un enchanteur, mon garçon. Dès le premier jour où tu es venu dans mon antre, j'ai senti ton pouvoir.

Les vapeurs flottaient autour de lui, envahissaient sa tignasse grise.

— Je suis faible, à présent, ai-je haleté. Je tiens à peine debout.

— Alors viens avec moi, a conseillé le barde. *La lumière que je vois te libérera.* Ne t'ai-je pas toujours bien guidé dans le passé ? Et je vois un enchanteur, un grand mage en toi.

— Même en ce moment ?

— Même en ce moment, mon garçon. Tes pouvoirs commencent tout juste à s'épanouir.

— N'en fais rien, a supplié le garçon au visage brûlé. Ça ne t'apportera que davantage de souffrances.

— Tu les guériras, a promis ma mère. Viens à la maison, soigne-toi d'abord. Ensuite tu retourneras soigner les autres.

Hésitant, j'ai essayé d'aller vers elle, mais les rouleaux de brume m'empêchaient de lever les pieds. Avec beaucoup d'efforts, j'ai réussi à faire un pas. Je voyais la brume monter. Bientôt, elle m'arriverait à la taille, et je n'avais pas la force de la repousser. J'ai eu toutes les peines du monde à lever de nouveau mon pied pour faire un autre pas.

— Tu échoueras, a répété mon père.

— Non, il n'échouera pas, a répliqué Cairpré. Il est, par-dessus tout…

— Jeune faucon ! a interrompu une nouvelle voix — une voix qui, plus que toute autre, avait le don de me redonner du courage.

— Hallia, ai-je murmuré, heureux de retrouver la chaleur de ses yeux bruns. Aide-moi à décider… ce que je dois faire.

— Viens avec moi, jeune faucon, a-t-elle imploré en me tendant la main. Tu n'as pas besoin d'être un enchanteur pour moi, ni un guérisseur, ni autre chose. Juste mon ami. Reviens vers moi, et tout ira bien.

— Mais... non, ai-je lâché, d'une voix étranglée. Tu l'as vu toi-même... le nœud-de-sang.

— Viens, a-t-elle insisté. Bientôt nous courrons, nous galoperons de nouveau ensemble.

La tête me tournait, et la brume continuait à monter autour de mon corps. Elle me tirait, m'alourdissait. J'ai entendu vaguement une autre voix m'appeler à travers le brouillard qui s'épaississait. Bien que lointaine, elle m'a paru aussi fraîche qu'une brise dans la forêt. Je la connaissais bien... Rhia ! Elle me faisait de grands signes avec sa main ornée d'un bracelet de feuilles tressées.

— Tu as de grands pouvoirs, Merlin, mais tu risques de les perdre, m'a-t-elle averti. Ces pouvoirs sont toujours venus des prairies, des arbres, des ruisseaux. Reviens à la terre, Merlin, avant qu'il soit trop tard. Quitte cette brume. Rejoins-moi vite !

Elle avait raison, oui, je le sentais. Je m'apprêtais à la suivre, quand une voix grave et sévère m'a arrêté.

— Non, non, un enchanteur ne court pas.

C'était la voix de mon grand-père, Tuatha. Je n'avais pas la force de me tourner vers lui, mais, même sans voir son visage, je sentais le pouvoir de sa présence.

— Je suis ton avenir, a-t-il déclaré. Ton destin est ici, avec moi.

— Il échouera, tout comme moi, a grogné mon père.

— Non, il n'échouera pas, a objecté Rhia. Mais son pouvoir vient de la terre.

— Viens avec moi ! a crié Cairpré. Tu as déjà le pouvoir d'un enchanteur dans tes veines, celui de Tuatha et davantage. Viens, mon garçon, et je t'aiderai à suivre les voies de la magie.

Je ne savais plus de quel côté aller, ni qui croire. Des ombres ont commencé à se rassembler dans la brume, à s'approcher, cachant les visages autour de moi. Des vrilles de plus en plus denses s'enroulaient autour de ma poitrine. Mes genoux étaient prêts à céder, ma poitrine, prête à s'affaisser. Impossible de bouger, à présent.

Les voix continuaient à m'appeler, rivalisant entre elles pour attirer mon attention. Mais à chaque respiration que je prenais, elles faiblissaient, de même que la lumière. J'entendais à peine leurs supplications, leurs injonctions. Elles diminuaient rapidement, comme mes forces et ma volonté de vivre.

C'est alors qu'une autre voix, pas plus forte que les autres mais plus grinçante, s'est approchée de mon oreille. Je me suis raidi dès que je l'ai reconnue.

— Comme je te l'avais prédit, jeune enchanteur infantile, tu t'es condamné toi-même, a-t-elle lancé en ricanant. Maintenant, je serai débarrassée de toi et de ta mauvaise habitude de fourrer ton nez partout. Comme j'en ai assez d'attendre, je vais mettre fin à ta misérable petite vie moi-même. Ici, là, tout de suite, a-t-elle ajouté, tandis que des doigts de brume glacée s'enroulaient autour de mon cou.

À son seul contact, le peu de forces qui restaient en moi se sont réveillées. J'ai reculé en chancelant, donnant des coups de poing dans les nuages, tandis que mes jambes, de toutes leurs forces, tentaient de se libérer de leurs liens. Je n'y voyais presque rien dans ce brouillard, mais je me suis senti emporté dans une chute vertigineuse.

En même temps que je tombais, une grande lassitude m'a envahi. J'avais beau avoir échappé à Nimue, j'étais certain que j'allais mourir. Mon cœur étranglé palpitait encore, plein de regret. Il me restait tant à faire, à apprendre ; il y avait tant de visages que je ne reverrais jamais…

J'ai vaguement remarqué que la brume changeait. Était-ce seulement dans mon imagination ? Non, c'était vrai. Elle ne tourbillonnait plus comme avant… Elle se dissolvait. Oui, elle se dissipait de tous les côtés.

Était-ce de la lumière ? Peut-être, mais elle était faible et vacillante et semblait venir d'en haut. Soudain, quelque chose de dur s'est formé sous moi. Quelque chose comme de la pierre. Mais peu importait maintenant le lieu où j'avais échoué. Je me sentais plus près de la mort que jamais. À bout de souffle, j'ai inspiré une dernière fois.

## ⱴes noms

Quand je me suis réveillé, deux grands yeux plus noirs que la nuit m'observaient. Mon corps, en alerte, s'est raidi pour devenir aussi dur que les pierres qui se trouvaient sous mon dos. Étaient-ce les yeux de Nimue ?

Non, ce n'étaient pas les siens, je le voyais maintenant, même dans la faible lumière de la pièce où je me trouvais allongé sur le sol. Sous des sourcils blancs aussi épais que des ronces, les yeux ont cillé, très lentement. Quand ils se sont rouverts, ils m'ont paru plus profonds que l'abîme le plus insondable : mystérieux, effrayants, et pourtant étrangement familiers. Puis ils se sont plissés.

Surpris, j'ai roulé sur le flanc pour m'éloigner, et je me suis cogné contre quelqu'un d'autre. Cette fois, c'étaient des yeux bleus qui me regardaient, et je les ai tout de suite reconnus. Antor !

— C'est toi, ai-je murmuré.

Bien que trop faible pour m'asseoir, j'ai senti une force nouvelle s'infiltrer en moi et me remplir doucement comme la pluie remplit le creux des feuilles. Tout à coup, me rappelant les nombreux visages que j'avais rencontrés dans la brume, j'ai été pris d'un doute.

— Es-tu... réel ?

Un rayon de soleil a éclairé ses boucles, et il a souri.

— Je suis réel, oui. Comme l'était le nœud-de-sang.

— Extrait juste à temps, jeune homme. Vraiment tout juste.

Je me suis tourné vers celui qui venait de parler : l'homme aux yeux insondables. C'était un très vieil homme, assis en tailleur sur les pierres. Sa barbe et ses cheveux flottants semblaient plus blancs que la neige dans la pénombre. Sa barbe, indisciplinée et pleine de nœuds, retombait sur ses cuisses et sur le sol comme une cape lumineuse.

— Oui, mon garçon, a-t-il poursuivi, ses mots crépitant comme des branches qui se cassent. Lorsque ces brumes inexplicables t'ont recraché...

Il s'est interrompu, soudain perplexe.

— Il serait plus juste de qualifier ces brumes d'*in*descriptibles, tu ne crois pas ? Et aussi d'*in*fatigables — si par souci de cohérence, on s'en tient aux termes précédés de -*in*, cet inusable préfixe que nous a légué le grand César. Je suppose qu'on pourrait aussi dire que les brumes *in*déterminées t'ont recraché, à moins que ce soit toi qui aies recraché les brumes ? Dans ce cas, peut-être, les brumes *in*digestes ? Non, non, c'est stupide. Comment pourrait-on cracher de la brume, hein ? Bien qu'une fontaine le fasse, je suppose, hein, quoi ?

Antor a commencé à parler, mais le vieil homme a secoué la tête, d'où s'est envolé un petit papillon jaune perché au-dessus de son oreille. Il s'est lancé alors dans une longue digression sur la logique linguistique, la supériorité de la langue celtique, et sur les incohérences de la langue anglaise et des Anglais — qu'il avait, semblait-il, côtoyés dans les cours royales de Gramarye.

— Bon, alors, qu'est-ce que je disais ? a-t-il conclu en fronçant ses gros sourcils. Et... le disais-je maintenant ? Ou à cette époque-là ?

Ayant visiblement perdu le fil de la conversation, il a attrapé une poignée de poils de sa barbe qu'il a fourrés dans sa bouche et mâchonnés un moment avant de les recracher.

— Alors, rappelez-moi, maintenant, où en étions-nous ?

J'ai penché la tête, de plus en plus intrigué par ce vieux bavard.

— Nous disions que mon ami a failli mourir, a répondu Antor.

Il s'est tourné vers moi, le regard sombre.

— Tu allais rendre ton dernier souffle, jeune faucon, j'en suis sûr. Je ne sais pas comment il s'y est pris, mais mon maître a arraché le nœud-de-sang de ton corps.

Ses yeux luisaient de compassion avant qu'il ne les plisse et ajoute :

— Il était plus gros qu'une corde et imbibé de sang.

Avec un frisson, j'ai posé la main sur mes côtes. La peau était sensible, comme si elle avait été frottée trop fort. Sous les os aussi, je sentais une fragilité, mais ma poitrine semblait de nouveau entière, plus qu'elle ne l'avait été depuis longtemps.

— Je t'avais dit que c'était un guérisseur, a ajouté Antor, en jetant vers le vieil homme un regard plein de fierté.

Ce dernier était occupé à retiré quelques poils de barbe de sa bouche.

— Quoi ? ai-je dit, abasourdi. C'est lui qui l'a fait ?

Antor a hoché la tête.

— Cet homme est ton maître ?

Il m'a fait un large sourire narquois.

— Oui, celui-là même qui, d'après toi, *n'a pas plus de courage qu'un levreau et pas plus de sagesse qu'un âne.*

À mon grand soulagement, notre hôte, perdu dans ses pensées et occupé par sa barbe, ne semblait pas avoir entendu le commentaire d'Antor. Arc-bouté sur les coudes, je me suis levé à moitié. Je sentais mon cœur battre fort sous mes côtes. Affichant tant bien que mal un air plus reconnaissant que surpris, je me suis adressé au vieillard.

— Vous m'avez sauvé la vie, et je vous en remercie.

— Ce n'est rien, mon garçon, a-t-il répondu en se grattant le nez avec désinvolture. J'ai toujours eu un problème avec les gens qui veulent mourir chez moi. Je trouve ça absolument *in*convenant… *in*décent, même. Ce n'est pas pour toi que je dis ça, mais je suis sûr que tu comprends. Ça fait franchement désordre, hein, quoi ?

Ne sachant toujours pas très bien que penser, j'ai hoché la tête respectueusement.

— Oui, euh, je comprends.

— Eh bien, tant mieux pour toi, a-t-il déclaré, en grattant encore le bout de son long nez. Je suis loin de pouvoir en dire autant de moi-même, généralement.

Il a joint les mains et s'est tourné vers Antor avec l'air d'attendre quelque chose.

— Bon, alors, a-t-il repris. Non, non, *alors* suffit... Bon, alors, je disais... Ah, crénom d'un champignon, je n'y arriverai jamais ! Dis-moi juste une chose, s'il te plaît, une chose très importante.

À ce moment-là, toute trace de confusion a disparu de son visage, pour faire place à une expression d'attente empressée.

— Où est la clé ?

Antor a baissé la tête. S'il avait pu disparaître dans les fissures entre les pierres, il l'aurait fait. Sa réponse, bien que murmurée, a retenti comme s'il avait crié.

— J'ai manqué à ma parole, maître.

Le vieil homme est resté un long moment sans bouger. D'abord, j'ai pensé qu'il n'avait pas compris. Puis il m'a semblé que son regard s'embuait.

— Tu veux dire...

— Je ne l'ai pas.

Mon estomac s'est noué. Voulant m'inter-poser, j'ai réussi à m'asseoir.

— Ce n'est pas sa faute, ai-je expliqué. Si quelqu'un a failli, ce n'est pas lui, c'est moi.

Le vieillard m'a fixé. Il n'a pas bougé, juste levé très lentement un sourcil broussailleux.

Sous le poids de son regard, j'ai détourné les yeux.

— Il... il a essayé de m'en parler, ai-je balbutié. Et j'aurais dû mieux l'écouter.

Il a tapoté le sol de sa main ridée, et le son de ses doigts sur la pierre a résonné longtemps dans la pièce. Le silence revenu, il a dit :

— Ne te tracasse pas trop, mon garçon. Tant de fois dans ma vie, je n'ai pas su écouter ! Je ne peux pas t'en vouloir.

Et il a répété en soupirant :

— Oui, beaucoup trop souvent...

Ses nobles paroles m'ont mis un peu de baume au cœur. Mais, en même temps, la souffrance que je lisais sur son visage me faisait de la peine.

D'une main, il a tiré sur le col de sa tunique — une tunique bleu foncé, m'a-t-il semblé, bien que je ne puisse l'affirmer.

— Ah, écouter ! Le plus difficile de tous les arts.

Il a forcé un sourire avant d'ajouter :

— Hormis apprivoiser son ombre, sans doute, qui est encore plus dur.

J'ai hoché la tête tristement.

— Croyez-moi, je sais de quoi vous parlez.

Il s'est redressé, faisant craquer les articulations de son dos.

— Bon, alors. Euh, non, pardon… *Alors*, nous pourrions peut-être nous présenter, qu'en pensez-vous ? Nous ne l'avons pas encore fait, n'est-ce pas ? s'est-il informé auprès d'Antor.

— Non, maître. Je vous présente jeune faucon, a-t-il dit en me désignant.

Quelque part dans la pièce, on a entendu un petit cri et un battement d'ailes. Le vieil homme qui, apparemment, n'avait rien remarqué, a recommencé à m'observer. Le peu de lumière a balayé ses traits et les poils hirsutes de sa barbe.

— Étrange nom. Tu en as un autre ?

J'ai fixé ses yeux sombres.

— Beaucoup de gens m'appellent simplement Merlin.

Un nouveau cri s'est fait entendre, beaucoup plus fort, cette fois. Le vieil homme a paru troublé.

— Non, mon garçon. C'est ton nom que je t'ai demandé, pas le mien !

— C'est bien mon nom, ai-je insisté.

— Merlin ? a-t-il repris en se penchant vers moi et en pianotant le sol de ses doigts osseux. C'est *im*possible. Non, *in*concevable.

Antor a sorti une main de sous sa tunique et m'a touché le genou.

— Tu t'appelles vraiment Merlin ?

J'étais sidéré.

— Bien sûr ! Pourquoi en serait-il autrement ?
Et pourquoi a-t-il dit qu'il s'appelait Merlin ?

— Parce que c'est aussi son nom.

Soudain, le visage d'Antor s'est éclairé
comme une torche.

— Ah, ça y est, j'ai compris ! Il porte le même
nom que toi parce qu'il est… parce que mon bon
maître n'est autre que… *toi*.

— Moi ? ai-je fait, médusé.

— Toi, mais plus âgé.

Je suis resté bouche bée. Le vieillard m'a
regardé fixement, atterré. Antor, lui, nous observait, émerveillé.

— Vous ne voyez pas ? Vous êtes tous les
deux Merlin, mais à des époques différentes,
a-t-il déclaré en riant. Je savais qu'il y avait
quelque chose d'étrange en toi, jeune faucon. Et
qui me rappelait curieusement mon maître ! Je
suis désolé de ne t'avoir rien dit, même pas mon
vrai nom. Il — enfin, toi — m'avait recommandé
de ne faire confiance à personne dans les marais.

— Tu veux dire que tu ne t'appelles pas
Antor ?

— Non. C'est mon père qui s'appelle Antor…
Antor de la Forêt sauvage. Mon vrai nom,
est Arthur.

Ce nom, que je n'avais pourtant jamais
entendu auparavant, a provoqué un inexplicable
frisson au fond de moi.

— Et pourquoi l'appelles-tu... euh, m'appelles-tu... maître ?

— Parce que ça sonne mieux que tuteur ou professeur. Mais il m'enseigne toutes sortes de choses, certaines inhabituelles... parfois même franchement bizarres, a-t-il ajouté avec un sourire embarrassé. Par exemple, il m'a promis qu'un jour il me montrerait comment sortir une épée d'un... tu ne le croiras jamais...

J'ai tressailli quand une main a serré ma cuisse.

— N'en dis pas plus, a ordonné le vieillard, d'un ton sévère. Ce garçon ne sait rien de son avenir, de tout ce qui l'attend. De ce point de vue-là, il te ressemble, je pense, a-t-il ajouté d'un air songeur.

# XXIII

# La danse
# de la lumière

Avec une agilité surprenante, notre hôte s'est levé. Il a fait un grand geste du bras, doigts écartés. La manche de sa tunique a claqué, résonnant tel un coup de tonnerre dans la vaste pièce. Ce vieil homme était-il vraiment moi dans un avenir lointain ?

En bougeant son bras, il s'est pris les doigts dans les nœuds de sa barbe. Mais cela, ni le fait qu'il ait emmêlé encore plus sa barbe en essayant de déprendre ses doigts, n'a pas semblé le gêner le moins du monde, ni diminuer en rien la lumière qui, depuis peu, illuminait son visage.

Enfin, il m'a regardé.

— Maintenant, mon garçon, avant que nous causions des choses du futur — à moins que ce soient celles du passé —, que dirais-tu d'un bon, d'un véritable repas ? Après tout, on n'a pas souvent l'occasion de festoyer avec soi-même.

Arthur a applaudi des deux mains.

— Oui, oh oui! s'est-il exclamé. À part cette espèce de légume que tu m'as donné sous les arbres, jeune faucon, je n'ai rien mangé depuis trois jours.

— Autant dire trois siècles pour un garçon de ton âge — ce qui, pour moi, n'est rien du tout, a commenté le vieil homme. Oh, mais quelle formidable perspective cela vous donne sur la vie de vivre ainsi sans fin — ou mieux : *in*terminablement! Seul un fossile pourrait vous en conter plus que moi... Si, toutefois, un fossile pouvait parler.

— Un fossile?

— Eh bien, oui, mon garçon. Tu apprendras à penser non en termes de durée de vie humaine, ou même de siècles, mais de temps géologique. C'est vrai! Des périodes si vastes que même l'ère actuelle, le Cénozoïque, dure déjà depuis plus de soixante-cinq *millions* d'années.

Devant mon expression ahurie, il a poursuivi :

— Bien sûr, j'en conviens, il y a de quoi être troublé, et parfois dérouté. Surtout quand on remonte le temps.

Là, j'étais perdu.

— On verra ça plus tard, mon garçon, a-t-il conclu en se caressant le menton. Nous devons nous restaurer, à présent. Mais d'abord, il nous faut un peu de lumière, hein, quoi ?

D'un nouveau geste du bras — et sans s'emmêler —, il a fait jaillir la lumière et la vaste pièce s'est éclairée. Autour de nous, toutes sortes d'objets se sont mis à briller, en dépit des couches de poussière qui les recouvraient. Il y en avait par terre, sur le haut placard en bois dont les étagères ployaient sous le poids des ouvrages aux reliures de cuir, ainsi que sur les murs somptueusement décorés, ou encore au plafond. J'en ai aussitôt reconnu certains, notamment les cordes auxquelles étaient suspendus des bouquets de racines, d'herbes et de copeaux d'écorce attachés avec des brins de cèdre — comme faisait ma mère pour garder ses ingrédients frais — et suspendus au-dessus de nos têtes. D'autres objets, en revanche, n'évoquaient rien pour moi : une coupe d'argent dont les deux poignées semblaient agitées de tremblements nerveux, une jatte où tournoyaient deux flèches rouges et, sur une table en chêne à côté de nous, un manuscrit en piteux état dont les pages tournaient toutes seules. Même les nombreuses rangées de bouteilles et de pots, à première vue tout à fait ordinaires, étaient remplies d'étranges produits colorés et pétillants que j'étais incapable d'identifier.

Puis, des objets, mon regard est passé au reste du décor. Les murs, le plafond, les recoins, tout resplendissait d'un éclat extraordinaire. Stupéfait, je me suis relevé tant bien que mal, manquant de trébucher sur mon bâton posé par terre. Lentement, je suis allé vers le mur le plus proche. Lorsque j'ai écarté une tenture de soie décorée de serpents bleus entremêlés et de feuilles vert argenté, mon cœur s'est mis à battre à toute vitesse : je devinais déjà ce qui éclairait la tenture par-derrière.

Des cristaux. Des milliers et des milliers de cristaux. Mais c'était complètement différent de la demeure souterraine du ballymag : ici, il y avait une variété de couleurs, de formes, de tailles que je n'avais jamais vue ailleurs. J'ai passé doucement mes doigts sur les facettes, dont les angles étaient pointus par endroits, arrondis à d'autres. Chaque cristal rayonnait de couleur, certains de plusieurs à la fois, et tous étincelaient dans un chatoiement permanent. Les murs eux-mêmes étaient aussi lumineux que des arcs-en-ciel, aussi changeants que des cascades.

Les cristaux m'avaient toujours ému. Ils allumaient en moi une lumière d'une intensité égale à la leur. Mais ici, ils dépassaient tout ce que j'aurais pu imaginer en nombre et en beauté. Chacun avait son éclat, son mystère propres, et on aurait pu passer une vie à les contempler.

— Eh bien, ça te plaît ? a demandé le vieil homme.

Il se tenait près du mur de la pièce, ses cheveux détachés et sa barbe tout aussi brillants que les cristaux. Il m'observait, appuyé sur un bâton très semblable au mien mais beaucoup plus noueux et couvert de cicatrices. J'ai tressailli quand je me suis rendu compte que c'était *mon* bâton, avec des dizaines de runes et d'emblèmes en plus, et des traces qui ressemblaient à des marques de dents. Néanmoins, sous ces marques, les sept symboles de sagesse que j'avais eu tant de mal à acquérir étaient encore visibles.

— Ça te plaît ? a-t-il répété avec un geste de la main. C'est un peu encombré, peut-être, mais pas *in*confortable.

— C'est magnifique. On peut même dire… *in*comparable, ai-je ajouté avec un petit sourire en appuyant comme lui sur le début du mot.

Il a répondu par une légère inclinaison du buste, amplifiée par les plis de sa longue cape bleu nuit constellée d'étoiles brodées, dont le mouvement s'accompagnait d'un doux bruissement. Mais, plus que ce mouvement, c'est celui de la grande silhouette sombre derrière lui qui m'a impressionné, celui de son ombre, qui balayait majestueusement le mur presque jusqu'au plafond. Plus frappant encore : cette ombre, parfaitement obéissante, s'est penchée exactement en même temps que lui.

Un enchanteur. C'était bien ce qu'il était, je le savais, à présent. Celui qu'un jour, peut-être, je deviendrais. J'ai regardé mon ombre, à moi, si petite en comparaison et qui continuait à me narguer en agitant la main. Dépité, je me suis contenté de plisser les yeux d'un air vengeur. Mon jour n'était pas encore venu. Il me faudrait attendre. Mais, maintenant, j'avais l'espoir que cette attente, même si elle devait être très longue, serait un jour récompensée.

— Alors, que le festin commence, a déclaré l'enchanteur.

Tandis qu'Arthur acquiesçait avec enthousiasme, le vieil homme a joint les mains et murmuré un ordre mystérieux. Presque aussitôt, une table de pin ronde est apparue au centre de la pièce, avec trois tabourets cirés. Satisfait, il a de nouveau joint les mains. Un bouquet de fleurs bleues en forme de clochettes s'est posé sur la table, en même temps qu'un panier de belles pommes dorées. Puis, toujours avec le même geste, il a déclenché une explosion d'odeurs de poulet rôti, de tourte à la viande, de truite au beurre, de pain chaud et de pudding au pain

— mon plat préféré quand j'étais enfant. Je sentais toutes ces bonnes choses, mais je ne les voyais pas, car seules les odeurs étaient apparues.

Mon hôte était fort contrarié.

— Punaises et pissenlits ! a-t-il grogné.

Une fois de plus, il a joint les mains, en appuyant ses paumes si fort l'une contre l'autre que ses épaules en ont tremblé et ses joues sont devenues cramoisies. Ne constatant aucun résultat, il s'est arrêté. Il a soupiré, découragé.

— Parfois, je me demande pourquoi je ne fais pas la cuisine de manière plus traditionnelle, a-t-il lâché d'un ton hargneux.

Arthur, qui avait l'air affamé, lui a jeté un regard noir.

— Parce que vous ne savez pas cuisiner, voilà pourquoi.

— Euh... oui, c'est juste. De toute façon, la tradition, ce n'est pas vraiment mon domaine.

Il a froncé les sourcils, concentré son regard sur la table, et, en marmonnant quelques paroles, il a de nouveau joint les paumes.

Cette fois, les mets sont arrivés en abondance : ceux dont j'avais humé l'odeur et bien d'autres encore. Il y avait de grandes carafes d'eau et de vin, plus une mixture sombre et mousseuse fort peu appétissante, et un plateau en bois contenant plusieurs pains encore tout chauds, semblables à ceux de Slantos, entre autres un pain d'ambroisie — que j'ai goûté en premier. La table croulait sous les victuailles : gâteaux aux noix, bols de soupe de légumes, marrons au miel, fraises à la crème, purée de betterave, fromage enveloppé d'aneth, navets et autres légumes verts cuits. Arthur et moi avons sauté sur les tabourets et nous sommes jetés sur le festin.

Le vieil homme nous a observés un moment d'un air approbateur avant d'approcher son tabouret. Il a pris la carafe de liquide mousseux, s'en est servi un verre et, à mon grand étonnement, a bu à longs traits. Alors qu'il reposait sa tasse, nos regards se sont croisés. Avec un sourire malicieux, il m'a proposé d'y goûter.

— Non merci, ai-je répondu, en essuyant du jus de viande sur ma joue. Ça ne me dit rien.

Il a repris une gorgée. La mousse s'accrochait à sa moustache.

— Ah, a-t-il fait. Tu ne veux vraiment pas essayer, mon garçon ? C'est tellement bon.

J'ai secoué la tête.

— Non, vraiment. Mais le reste est merveilleux.

— C'est un goût qui s'acquiert petit à petit, je crois, a repris mon hôte, un de ces phénomènes inexplicables.

Il a reposé sa tasse, et failli renverser l'assiette de betteraves.

— Il ne faut que quelques siècles pour s'y habituer, c'est tout, a-t-il ajouté.

Arthur, visiblement, se régalait.

— C'est votre meilleur festin, maître, a-t-il dit, un morceau de fromage dans la bouche, une cuisse de poulet dans une main et une grosse carotte dans l'autre. Serait-il possible, a-t-il ajouté, suppliant, d'avoir un peu de cette... euh, comment l'appelez-vous, déjà ? Cette crème froide, là ?

Le vieux mage a souri.

— Ah, tu veux dire de la crème glacée : la plus formidable invention du XX$^e$ siècle après l'hélicoptère.

Il se tira l'oreille, pensif, puis ajouta :

— Remarquez que l'hélicoptère n'est rien comparé au colibri. Saviez-vous que leurs petites ailes battent plus de cinquante fois par seconde ? Et que le colibri roux, qui n'est pas plus grand que la paume de ma main, peut parcourir plus de dix mille kilomètres par an ?

— Euh... non, ai-je répondu, n'ayant aucune idée de ce dont il parlait.

— Bon, alors, revenons à cette crème glacée.

Il a cligné des yeux et trois bols de bois sont apparus avec, à l'intérieur, une sorte d'entremets brun clair surmonté d'une sauce — marron clair pour nous et ambre jaune pour lui. Arthur a lâché sa cuisse de poulet et s'est jeté sur son bol. Prudent, j'ai d'abord tâté du doigt le contenu du mien. J'avais l'impression de toucher de la neige plutôt que de la nourriture. J'ai retiré ma main, hésitant.

— Crème glacée au café, a dit notre hôte en avalant une cuillérée. Avec sauce au miel et aux amandes pour vous, et une goutte de cognac arménien pour moi.

— Une goutte de quoi?

— De cognac, mon garçon. Tu découvriras ce que c'est dans un autre millénaire. Crois-moi, ça vaut la peine d'attendre. Et ça valait bien aussi une journée de voyage en autobus jusqu'au vignoble.

— De voyage en autobus? ai-je répété, intrigué.

Avant qu'il ait le temps de répondre, Arthur a posé son bol. Il avait le menton, les joues et le nez barbouillés de sauce. Ce n'était plus du tout le garçon apeuré qui m'avait abordé dans le marais, et sa joie faisait plaisir à voir.

— Nom d'un flageolet! s'est écrié l'enchanteur. Comment ai-je pu oublier? Nous ne pouvons pas dîner sans musique, hein, quoi?

D'un geste théâtral, il a levé le bras en direction d'une belle harpe accrochée au mur, au-dessus d'un petit lit, ou peut-être était-ce plutôt un nid, tapissé de plumes duveteuses. Aussitôt, la harpe s'est soulevée et j'ai vu étinceler ses cordes. À part sa caisse de résonance, incrustée de bandes de frêne, son cadre en forme de cœur était fait de tiges vertes, solidement tressées. Les feuilles, vert vif, en recouvraient les bords. L'enchanteur a claqué des doigts, et les mêmes feuilles, en se recourbant vers le bas, ont commencé à pincer les cordes. Une douce mélodie, aussi apaisante que le chant d'un ruisseau, a rempli la grotte de cristal.

Pendant un moment, j'ai regardé les feuilles jouer, puis je me suis tourné vers notre hôte.

— Vous avez fabriqué cette harpe vous-même, n'est-ce pas ?

— Oui, a-t-il répondu d'un ton mélancolique, mais pour produire de la musique, il faut un pouvoir beaucoup plus puissant.

Au même instant, un battement d'ailes s'est fait entendre. Une oie blanche dodue a atterri sur le bord de la table, près du poulet rôti. Tandis que ses yeux jaunes pleins de colère fixaient l'enchanteur, elle a poussé un cri et lancé de sa voix nasale :

— Écœurant.

J'ai failli lâcher mon bol.

— Elle parle ?

— Indubitablement, a répondu le vieil homme en se resservant une cuillérée de crème glacée et de sauce. Enfin, Marie, a-t-il rappelé à l'oie, rien ne t'oblige à en manger.

Un coup d'aile blanche a projeté des poireaux au sol.

— Marie-Garance, si tu veux bien, en présence d'étrangers.

— Soit. D'accord pour Marie-Garance. Ne t'ai-je pas moi-même donné ce nom ? Mais, comme a dit je ne sais plus quel barde, qu'y a-t-il dans un nom, hein, quoi ? En outre, ce sont des invités et non des étrangers. Tu connais déjà le jeune Arthur. Et le beau jeune homme que tu vois là, c'est moi, en vérité… dans un autre temps.

L'oie a allongé le cou pour m'observer de plus près.

— Hum, a-t-elle marmonné, *beau* n'est pas le mot que j'emploierais.

Elle a plissé des yeux et ajouté :

— J'espère, en tout cas, que tu es moins stupide que ce vieux jars.

J'étais prêt à lui retourner le compliment, quand le mage m'a dit :

— Ne fais pas attention à elle. Lorsque la dernière de mes chouettes, la dix-neuvième de la série, a fait le Long Voyage pour rejoindre Dagda, j'ai juré que je n'aurais plus jamais d'oiseau. Ils avaient vécu sous mon toit — et même, en y réfléchissant, sous mon chapeau — durant plusieurs siècles, mais j'en avais assez. Trop de fientes dans les cheveux, dans la soupe, dans la... Bon, enfin, tu me comprends. Et puis Marie est arrivée. À peine un oisillon et, en plus, affamée. Ses manières n'étaient pas aussi développées que son cou, mais j'ai quand même eu pitié d'elle.

— Taratata! a lancé l'oie. C'est plutôt moi qui ai eu pitié de toi.

Le vieux mage s'est gratté le nez d'un air songeur.

— Je me demandais, mon garçon, puisque tu as fait tout ce voyage pour venir ici...

— Oui?

— Voudrais-tu visiter mon... euh, *ton*... non... *notre* grotte de cristal?

— Oh oui! ai-je répondu, ravi.

— Bien, alors, allons-y.

Il m'a pris par le bras et, ensemble, nous nous sommes dirigés vers le placard rempli de livres de toutes tailles et de toutes couleurs. Il était trois ou quatre fois plus grand que tous ceux que j'avais pu voir, et occupait une bonne partie de la paroi. L'odeur de cuir était de plus en plus forte à mesure que nous nous en approchions, de même que le son de la harpe, suspendue de l'autre côté du placard. Du bout du doigt, mon hôte a touché les reliures de plusieurs volumes, les saluant comme de vénérables collègues.

J'étais fasciné par le nombre et la diversité de ces livres. La lumière des cristaux filtrait par les interstices du bois, éclairant les étagères et les volumes empilés dessus. Ces ouvrages n'étaient pas rangés par thèmes. Leur classement ne semblait répondre à aucune logique apparente : un texte de botanique voisinait avec un traité d'Aristote ; une histoire illustrée d'un fleuve appelé le Gange figurait entre deux volumes intitulés *Astrophysique : la Vue à long terme*. Il y en avait sur les voyages par mer, les oiseaux rares, les nuages, un certain Léonard de Vinci, les plantes médicinales... et un, intitulé *Le Vent dans les saules*, qui devait traiter du climat le long des rivières. Je voyais beaucoup de titres dans des langues inconnues. Des ouvrages que, pour la plupart, je n'aurais sans doute pas compris même si j'avais connu ces langues.

Manifestement, le vieil homme à la barbe blanche, lui, les comprenait. Cela signifiait-il qu'un jour, j'aurais sa culture ?

— Comment faites-vous pour vous y retrouver dans tous ces livres ? ai-je demandé.

Il s'est retourné face à moi, puis s'est mis à peigner sa barbe d'une main.

— Pour ceux qui sont ici, ce n'est pas difficile, mon garçon. Mais c'est beaucoup plus dur pour tous les livres, tous les sujets que je ne connais pas.

— Mais vous en avez tellement ! Et ils sont tous mélangés, en plus.

— Ça, mon garçon, c'est parce que l'Univers lui-même est ainsi fait, a-t-il répondu, un sourire au coin des lèvres. Les divisions dans le domaine de la connaissance ont été établies par nous, pas par le cosmos. La physique, la poésie, la biologie, la philosophie sont toutes des facettes du même cristal. Dans un autre millénaire, les savants découvriront que les questions qu'ils posent sur les particules subatomiques s'appliquent aussi aux origines des galaxies ! Ce sera une surprise pour bon nombre d'entre eux, hein, quoi ?

Voyant mon air interloqué, il s'est penché vers moi.

— Ne t'inquiète pas, mon garçon. Les choses sont ainsi. L'Univers continuera toujours à nous surprendre, si intelligent qu'on puisse se croire. C'est sa nature, tout comme la nature des gens est d'essayer de le comprendre.

Ces paroles me laissaient perplexe.

— Nous ne pourrons donc jamais comprendre vraiment l'Univers ?

Son sourire s'est élargi.

— Pas complètement.

— Alors, qu'est-ce qu'on peut faire ?

— On peut s'émerveiller, a-t-il répondu, un nouvel éclat dans les yeux. Quel que soit l'âge que tu atteindras, mon garçon, ne perds jamais ta faculté d'émerveillement.

Il a attrapé une espèce de tube en métal sur une étagère.

— Tiens. Lorsque ma faculté d'émerveillement faiblit, je me sers de ça.

J'ai pris l'objet et l'ai fait tourner dans mes mains.

— Que dois-je en faire ?

— Eh bien, regarde dedans. Ce côté-ci devant ton œil.

Hésitant, j'ai suivi ses instructions. Ce que j'ai vu était si stupéfiant que j'ai reculé d'un bond et me suis heurté au placard — du coup, j'ai lâché l'instrument.

— Une oie géante ! J'ai vu...

— Eh bien, quoi ? Tu as vu Marie, c'est tout.

Depuis la table, où Arthur continuait à manger, l'oie m'a regardé d'un œil mauvais en sifflant. L'enchanteur a ramassé le tube, ses articulations craquant à son mouvement.

— C'est ce qu'on appelle un télescope. Ça permet de voir de beaucoup plus près des objets éloignés. Sauf ceux qu'on aimerait le plus rapprocher, a-t-il ajouté avec regret.

Il a étiré les bras comme je le faisais souvent moi-même pour soulager cette douleur fugitive entre les omoplates, fardeau de tous les Fincayriens. Après un moment, je me suis permis de lui poser une question :

— Est-ce parce que nos ancêtres ont perdu leurs ailes il y a longtemps que nous devons ressentir cette douleur ? Ou devons-nous retrouver nos ailes pour ne plus la ressentir ?

Il a continué à avancer dans la grotte comme s'il ne m'avait pas entendu.

Quand je l'ai rattrapé, il était arrêté devant un bac à plantes suspendu à un crochet de cristal bleu lavande. J'ai tout de suite reconnu la plante à l'intérieur : de l'herbe de mer, ce roseau si précieux pour le clan d'Hallia. En regardant les pousses vert foncé, je sentais presque leur texture sur ma langue. Il me semblait encore entendre la voix d'Érémon, le frère d'Hallia, quand il m'expliquait pour la première fois les multiples usages auxquels on destinait ces roseaux chez les hommes-cerfs : ils servaient à allumer les feux en hiver, à tisser les paniers, les rideaux, les vêtements et, en particulier, la première couverture des nouveau-nés et le châle des morts. Je revoyais Hallia enveloppant la dépouille d'Érémon dans l'un de ces châles verts. Ils symbolisaient les liens du clan avec les autres mondes.

J'ai aperçu, soudain, une mèche de cheveux au milieu des roseaux. Même dans la lumière bleutée des cristaux, je reconnaissais ses reflets cuivrés. Ma gorge s'est serrée.

— Mais... c'est une mèche d'Hallia, ai-je articulé.

— Oui, a confirmé le vieillard, d'une voix triste.

J'ai cherché son regard.

— Il lui est arrivé quelque chose, n'est-ce pas ?

Il n'a pas répondu.

— S'il vous plaît, ai-je supplié. Vous n'êtes pas obligé de répondre à ma question sur les ailes perdues, ou si je vais retrouver un jour mes vrais yeux ni à aucune autre question de ma part. Dites-moi seulement si c'est grave pour elle et pour moi...

Le vieil homme ne m'a pas regardé. Il a regardé la mèche. Derrière nous, le rythme de la harpe a ralenti ; la mélodie s'est teintée de mélancolie.

— Pas tout à fait, a-t-il finalement dit.

Lentement, il s'est tourné vers moi.

— Si je t'en disais plus, ça risquerait de compliquer la situation, pour toi comme pour elle.

En tout cas, profitez bien de tous vos moments ensemble.

— Nos *moments*? ai-je répété d'une voix étranglée.

— Toute vie n'est qu'une suite de moments, mon garçon. Chacun a ses choix, ses merveilles, ses mystères. Et, je le crains, ses dangers. Mais j'ai au moins appris une chose : il arrive parfois que ce qui apparaît d'abord comme une malédiction soit finalement une bénédiction.

Doucement, j'ai touché une tige de roseau.

— Ou inversement?

Il a hoché la tête.

— Ou inversement. Et on le sait seulement une fois que ce moment est passé.

Il a attrapé une hache à double tranchant et l'a légèrement soulevée du sol avant de la laisser retomber.

— Par exemple, cette arme redoutable. Elle a bien l'aspect d'un instrument de mort, n'est-ce pas?

— Bien sûr, ai-je répondu. Elle a été fabriquée pour ça.

Ses sourcils se sont haussés, tels des nuages qui s'élèvent dans le ciel.

— Eh bien, cela devrait t'intéresser de savoir que cette hache t'a sauvé la vie — ou te sauvera la vie, devrais-je dire. *In*discutablement! La mienne aussi, maintenant que j'y pense. Et d'une façon tout à fait *in*attendue.

Avant que j'aie pu lui demander de plus amples explications, il a passé les doigts sur la poignée d'argent de mon épée.

— Tout comme cette épée sauvera la vie du jeune Arthur... Oh oui, plus d'une fois.

J'ai regardé le garçon par-dessus mon épaule. Il a vidé son bol de soupe et pris un morceau de gâteau aux noix.

— Je savais, au fond de moi, que c'était lui, ai-je dit.

— C'est bien lui, en effet. Et tu le guideras le mieux que tu pourras, m'a confié le vieil homme en me tapotant l'épaule, autant pour trouver le Graal légendaire — ce qui est aussi extraordinaire que de regarder sept loups blancs dans les yeux — que pour se trouver lui-même.

J'avais la gorge sèche.

— Est-ce qu'il le trouvera, finalement ?

— Non, a répondu le mage. Mais sa quête sera néanmoins un succès.

— Je ne comprends pas.

Il a passé une main dans sa barbe avant de répondre.

— Pourtant, c'est bien ce qui se produira. De même que sa quête, encore plus ambitieuse, pour promouvoir un nouveau concept de justice et de droit, inspirée par de nobles idéaux, mais condamnée à l'échec en son temps. Car l'effort seul a engendré un triomphe, fragile mais néanmoins vivant. Un triomphe qui pourrait survivre à la tragédie.

Avec tristesse et affection, il a observé le garçon qui enfournait un nouveau morceau de gâteau.

— C'est pourquoi, dans les temps à venir, il sera reconnu comme le plus grand de tous les rois de Gramarye.

J'ai secoué la tête.

— Comment Arthur pourra-t-il échouer et triompher quand même à la fin ?

— Je n'ai pas dit que ça arrivera, mon garçon. Seulement que c'est possible.

Ses yeux ont lui, reflets de l'éclat cristallin des murs.

— Comme pour toi et moi, a-t-il ajouté.

Le cœur gros, je suis resté là, silencieux, avec l'envie d'en savoir davantage tout en craignant d'insister trop.

— Tu vois, a-t-il poursuivi, j'ai renvoyé le jeune Arthur dans les marais pour une simple raison : c'était le seul moyen et l'unique chance de me... de te... de *nous* sauver.

## ∽ XXIV ∽

## L'ÎLE DE MERLIN

**L**e vieil homme s'est essuyé le front avec sa manche. D'un air las, il a fini par avouer :

— Ça nécessite quelques explications, je crois. Asseyons-nous, tu veux bien ?

Sans attendre ma réponse, il a remué les doigts d'une étrange manière. Aussitôt, le sol derrière nous a explosé, projetant des éclats de pierre dans toute la grotte. J'ai fait un bond sur le côté, mais l'enchanteur, lui, n'a pas bronché. Quand je me suis retourné, un grand hêtre dont les branches s'arquaient d'un mur à l'autre avait surgi du sol.

Fasciné, j'ai observé ses robustes racines ancrées dans la pierraille. À la différence de tous les arbres que je connaissais, son tronc montait d'abord tout droit, puis, à une courte distance des racines, se pliait à l'horizontale pour se redresser un peu plus loin et étendre ses branches feuillues jusqu'au plafond. En soupirant, mon vieux compagnon s'est assis sur la partie horizontale du tronc et adossé à une paire de branches. Ses pieds se balançaient légèrement au-dessus du sol.

— Ah! a-t-il dit, rêveur, j'ai toujours adoré me percher dans les arbres.

— Moi aussi, mais dehors, pas à l'intérieur.

Ignorant ma remarque, il a posé la main sur l'écorce lisse et grise. Tandis que la harpe se mettait à jouer plus doucement, il a poursuivi plus bas :

— Les hêtres, je ne sais pourquoi, m'apaisent toujours. Et c'est de plus en plus nécessaire, ces temps-ci.

— Dites-moi, ai-je repris, m'approchant de lui, que vous... pardon, que *nous* est-il arrivé?

— Patience, mon garçon. D'abord, il faudrait que tu t'assoies.

Il a froncé des sourcils avant de dire :

— Mais il n'y a pas vraiment de place pour deux sièges comme celui-ci. Question de surface, hein, quoi?... Ah, voilà la solution! Va chercher un de ces tabourets.

Il m'a montré les deux tabourets vides à côté d'Arthur. Le garçon, qui dévorait à belles dents une autre cuisse de poulet, ne pensait à rien d'autre qu'à son repas.

J'allais les déplacer quand, à ma stupéfaction, quelque chose d'autre est allé chercher le tabouret. L'ombre de l'enchanteur! La haute silhouette, aussi grande et imposante que l'arbre lui-même, a glissé le long du mur et du sol jusqu'à la table. Sans un bruit, elle a soulevé le tabouret, l'a déposé à côté de moi, en plein sur mon ombre qui se tortillait, puis elle est retournée à sa place, parmi les branches près de son maître. L'enchanteur a hoché la tête avec satisfaction.

— Merci, ma vieille amie.

*Ma vieille amie.* Je ne m'imaginais pas m'adressant ainsi à mon ombre. Cette fois, pourtant, j'ai décidé de faire un effort. En la voyant toute petite par terre qui tentait de se libérer, j'ai déplacé le tabouret pour lui faciliter la tâche. Comme je m'y attendais, hélas, je n'ai eu droit à aucun geste de gratitude — juste un impertinent coup de pied. Non, décidément, nos rapports n'étaient pas près de s'améliorer.

Je me suis aperçu, alors, que le vieillard me regardait.

— Comment faites-vous pour que votre ombre se comporte si bien? ai-je demandé. J'échangerais volontiers la mienne contre la vôtre.

Il a secoué la tête, ce qui fit reluire ses cheveux blancs dénoués des couleurs des cristaux.

— Elle fait partie de toi, mon garçon, comme la nuit fait partie du jour.

— Je m'en serais bien passé ! ai-je grommelé en m'asseyant sur le tabouret. Maintenant, dites-moi, je vous prie. Qu'est-ce qui vous a incité à renvoyer Arthur dans ce marais ? D'après ce que j'ai compris, vous étiez prisonnier et menacé de mort ! Pourtant, vous êtes là, bien vivant, dans votre grotte de cristal.

Il m'a regardé d'un air sombre.

— Tout cela est vrai, indiscutablement.

— Mais cet endroit, si plein de merveilles…

— C'est aussi une prison.

Il a passé sa main doucement le long du tronc lisse, puis a pris une profonde inspiration avant de reprendre.

— Cette sorcière de Nimue m'a persuadé par la ruse de lui révéler mes sortilèges les plus puissants. Puis, en utilisant le pouvoir même de cette pièce pour renforcer le sien, elle les a utilisés contre moi, et m'a enfermé dans cette grotte pour toujours.

Ce dernier mot m'est tombé dessus comme une pierre.

— Alors, vous êtes complètement bloqué ?

Ses paupières se sont fermées.

— En effet.

— Nimue ! ai-je crié. Quelle torture ce doit être pour vous !

— Surtout avec la tâche importante qu'il reste à accomplir dehors.

Pendant un long moment, ces mots sont restés en suspens. Puis il a rouvert les yeux et fixé son attention sur quelque chose au-dessus de sa tête : un objet mince et brun, accroché à une branche. Un cocon ! L'enchanteur semblait totalement captivé par cet objet. Quand il a levé la main pour le toucher, le cocon a frémi sous ses doigts. Le vieillard a hoché la tête, l'air un peu moins sombre.

Laissant retomber sa main, il s'est à nouveau tourné vers moi.

— Elle a cependant oublié une chose très importante : le Miroir ! Je peux toujours utiliser ses chemins, les Brumes du Temps elles-mêmes, pour faire venir les autres ou les envoyer ailleurs. Même si je ne peux pas passer au travers, il m'offre une fenêtre sur le monde extérieur, tu comprends. Et, au moins pendant un moment, il m'a donné une chance de m'échapper.

J'ai frissonné.

— La clé.

— Oui. C'est... euh, c'était la seule chose assez puissante pour rompre le sortilège de Nimue. Je me rappelais qu'elle avait été cachée dans le marécage. J'ai donc demandé à Arthur d'aller la chercher et de me la rapporter. Lorsque la sorcière l'a appris, elle a compris qu'elle devait la retrouver avant lui, et elle est entrée, elle aussi, dans les Brumes. Il ne fait aucun doute qu'elle a dû remuer ciel et terre pour la retrouver. Encore plus étonnant, elle t'a même forcé de l'aider à la trouver, ce qui a changé le cours du temps.

— Alors, vous, à mon âge, n'avez pas passé ce temps dans les Marais hantés ?

— Seigneur, non, mon garçon..., s'est-il exclamé en faisant une grimace. Elle a vraiment fait un terrible gâchis.

— C'est moi qui ai tout gâché ! Maintenant, je comprends, ai-je lancé avec colère. Elle m'a eu par la ruse, comme vous. Elle savait que la clé ne pouvait servir qu'une fois. Même si elle pensait que je l'utiliserais pour arrêter le nœud-de-sang, non pour libérer les goules, elle a réussi à obtenir ce qu'elle désirait le plus.

Pris entre rage et remords, ma voix s'est étranglée et, de ma gorge, est sorti un grognement proche du sanglot.

— En utilisant la clé dans le passé, j'ai scellé votre destin, et le mien, pour l'avenir. Nimue m'a bien prévenu quand elle est partie : *Tu t'es condamné toi-même.* Voilà ce qu'elle m'a dit ! Et elle avait raison.

— Au moins, tu lui as tenu tête.

— À quoi ça a servi ? ai-je rétorqué d'un ton amer, la tête basse. C'était juste ce qu'il lui fallait pour gagner.

J'ai relevé la tête pour le fixer des yeux.

— Et à quoi ça a servi d'enseigner à Arthur ces beaux idéaux… quand vous savez déjà que son royaume finira par éclater ? Qu'il ne les verra jamais l'emporter de son vivant ?

L'enchanteur m'a regardé fixement un long moment, la main serrée sur une branche du hêtre, avant de répondre d'une voix pleine de tendresse :

— À quoi ? Ni moi ni personne ne peut le dire.

J'ai haussé les épaules.

— Exactement ce que je pensais. Encore de bonnes intentions qui ne valent rien.

— Écoute-moi bien, a-t-il déclaré avec une étincelle dans le regard. Il y a encore ceci : un royaume banni de la Terre peut encore trouver sa place dans le cœur.

Il s'est redressé, au point où j'avais l'impression qu'il avait grandi, et a ajouté :

— Et une vie, que ce soit celle d'un enchanteur ou d'un roi, d'un poète ou d'un jardinier, d'une couturière ou d'un forgeron, ne se mesure pas à sa longueur, mais à la valeur de ses actes et au pouvoir de ses rêves.

D'un regard vide, j'ai observé les facettes luisantes qui nous entouraient.

— Les rêves ne peuvent pas vous libérer.

De sa main, aux rides si profondes, il m'a serré le bras.

— Mais si, mon garçon, ils le peuvent. Plus sûrement que tu ne le crois.

Il s'était tourné vers moi, mais son regard semblait me traverser, comme s'il fixait quelque chose très loin.

J'ai examiné son visage : ses yeux noirs presque rieurs, et en même temps larmoyants; sa grande bouche, à la fois si vieille et si jeune; son front ridé, marqué par des idées et des expériences qui m'étaient étrangères; et, bien sûr, sa longue barbe, emmêlée par endroits et lumineuse de haut en bas. Malgré tout ce que ce visage me donnait à espérer, je me sentais quand même vaincu.

— Encore une chose, jeune enchanteur, a-t-il ajouté avec bienveillance. Tout ce que j'ai enseigné et enseignerai à mon élève Arthur se résume à ceci : trouve-toi toi-même, trouve ta véritable image, et tu accéderas au bien suprême, au grand pouvoir qui insuffle la vie dans toute chose. C'est une certitude ! Et si tu n'y arrives pas en ton heure et en ton lieu, tes efforts se répercuteront comme les rides à la surface d'un lac. Propulsés par ce bien suprême, ils atteindront peut-être des rivages lointains, dont ils changeront le destin longtemps après toi.

— Mais on ne peut pas changer le destin, ai-je protesté. À cause de ma folie, vous, et donc moi, resterons enfermés dans cette grotte pour toujours.

Le vieil homme a réfléchi un moment avant de me répondre.

— Tu as un destin, mon garçon. Ça, en tout cas, c'est sûr. Mais tu as aussi des choix à faire. Oui... et les choix ne sont rien moins que le pouvoir de création. À travers eux, tu peux créer ta propre vie, ton propre avenir, ton propre destin.

Je l'ai regardé, incrédule.

D'un air pensif, il a frotté quelques feuilles entre le pouce et l'index. En même temps, les cordes de la harpe ont joué, semblait-il, un peu plus rapidement, et leurs notes ont résonné contre les parois avec une cadence plus légère.

— Par tes choix, a-t-il continué, tu pourrais même créer un monde entièrement nouveau, un monde qui naîtrait des ruines de l'ancien.

Il a souri d'un air impénétrable, comme s'il en savait beaucoup plus que ce qu'il révélait.

— Il y a un poète du nom de Tennyson, d'une époque qui est encore à venir, qui décrit un tel monde. Il s'appelle *Avalon*. C'est une terre, dit-il :

*Où ne tombe ni grêle, ni pluie, ni neige,*
*Où jamais le vent ne souffle fort; un pays*
*    heureux*
*De prairies profondes, de beaux vergers et de*
*    pelouses,*
*De vallons ombragés bordés par une mer d'azur.*

Les mots se déversaient sur moi comme une chaude pluie d'été, mais je n'arrivais pas à le croire.

— Malgré tous mes efforts, je ne parviens même pas à déplacer mon ombre, toute maigre qu'elle est. Alors, comment mes choix pourraient-ils changer quelque chose au monde extérieur?

— Eh bien, a répondu l'enchanteur en soupirant, en ce qui concerne ton ombre, tu pourrais cesser d'essayer et commencer par *être*, tout simplement.

— Être? Être quoi?

— Et, en ce qui concerne tes choix, tu as déjà agi sur le monde à travers eux. De façon indélébile, ajouterais-je. Penses-y, mon garçon! Dans le peu de temps que tu as passé à Fincayra — combien? Trois ans? —, tu as fait sortir les géants de leurs cachettes, trouvé une nouvelle façon de voir, renversé un château, répondu à une énigme de l'oracle, vaincu ces affreuses bêtes qui dévorent la magie, pris l'esprit de ta sœur en toi, guéri un dragon blessé, et j'en passe ! Si ma mémoire est bonne, tu es également devenu un cerf, une pierre, un faucon, un arbre, une bouffée de vent… et même un poisson.

Il s'est interrompu, a jeté un coup d'œil vers Arthur, qui finissait une tourte aux fruits et s'apprêtait à en commencer une autre.

— Un poisson, a-t-il marmonné. Oui, oui, c'est peut-être justement ce qu'il lui faut, à présent… Tu as le choix, mon garçon, a-t-il poursuivi, fixant à nouveau sur moi ses yeux brillants. Et avec ce choix, le pouvoir. Un pouvoir inestimable.

Malgré moi, j'ai senti une vague lueur de renouveau quelque part à l'intérieur de moi. J'avais vraiment fait toutes ces choses ? Je n'oubliais pas que la traîtrise de Nimue m'avait réduit à sa merci, pour toujours, semblait-il. Pourtant, je me sentais curieusement différent. Plus fort, en quelque sorte. J'ai bougé sur mon tabouret et je me suis redressé un peu.

Puis une vague de doutes m'a submergé.

— J'ai peut-être bien fait toutes ces choses à Fincayra, mais ici ? Dans ce lieu nommé Gramarye ? C'est le pays que vous vouliez sauver, et ce n'est plus possible maintenant.

Tandis que le mage m'observait, les cristaux sur les murs et le plafond sont devenus un peu plus étincelants.

— Quoi qu'il nous arrive, mon garçon, à moi ou à toi, nous aurons changé cet endroit, cette île, à tout jamais, comme tu as changé celle qui est à présent ton pays. C'est tout à fait certain ! J'ai même entendu dire que des gens ne l'appelaient plus Gramarye, ni même Bretagne, son nom moderne, mais l'île de Merlin.

Il a souri, presque imperceptiblement.

— Tu ne me crois pas ? Alors écoute ces paroles, écrites par un poète nommé Kipling qui ne sera pas né avant plus de mille ans :

> *Ce n'est pas n'importe quelle terre,*
> *N'importe quelle eau, quel bois, quel air,*
> *C'est l'île de Merlin, l'île de Gramarye,*
> *Celle où, maintenant, je te conduis.*

Il a pointé son doigt noueux vers le fond de la grotte et, de ces profondeurs, j'ai vu surgir une petite tasse en terre qui volait vers nous. Il l'a saisie délicatement et en a sorti une minuscule sphère dont la surface marron foncé brillait étrangement. Elle semblait palpiter, comme un cœur vivant. J'ai compris que c'était une graine.

— Les merveilles de cette graine, a déclaré l'enchanteur, sont à la fois trop subtiles et trop immenses pour les nommer, même si, dans les années à venir, bien des bardes s'y emploieront.

Il l'a lentement roulée entre mes doigts.

— Son histoire aussi est immense. Je vais t'en raconter une petite partie. Cette graine fut découverte dans le royaume de Logres, au fond d'un lac de montagne, possiblement près de Rheged de Sagremor, transportée en secret par un druide inconnu jusqu'à l'île de Ineen, où elle est restée de nombreuses années, volée par la sévère reine Unwen du royaume de Powyss, finalement perdue, retrouvée, reperdue, et retrouvée encore une fois par un jeune page après la terrible bataille de Camlann, ici, à Gramarye.

Il a souri, mais était-ce de plaisir ou de tristesse ? Je l'ignorais.

— Ah ! mon garçon, je pourrais en dire tellement plus…, a-t-il ajouté tout en continuant de rouler la petite sphère. Mais le plus important, c'est que cette graine possède le pouvoir de devenir quelque chose de magnifique, vraiment magnifique.

Je me suis penché vers l'avant.

— Vous ne pouvez pas me dire ce qu'elle deviendra ?

— Non, c'est impossible.

— Et vous ne me direz rien non plus sur les ailes perdues ? ai-je lancé en fronçant les sourcils.

Il a secoué la tête.

— Je vais t'apprendre quand même une chose concernant cette graine. Si tu parviens à trouver le bon endroit pour la planter, elle donnera un jour les fruits les plus extraordinaires que tu puisses imaginer. Mais elle mettra encore de nombreux siècles pour seulement commencer à germer, même dans le meilleur des sols.

Il a déposé la graine dans ma main, puis a replié mes doigts dessus. Je pouvais sentir à travers ma paume comme l'esquisse d'un mouvement, une vague pulsation contre ma peau. Je l'ai rangée avec précaution dans ma sacoche.

Puis j'ai levé les yeux sur mon autre moi-même.

— Si, comme vous dites, elle met des siècles à germer, et qu'il faut encore beaucoup de temps avant ça pour trouver où elle devrait être plantée, alors...

— Oui ?

— Alors, je ferais bien de commencer sans tarder, vous ne croyez pas ?

Il a hoché la tête, et il m'a semblé voir scintiller les étoiles brodées sur sa cape.

— Dès que tu voudras, mon garçon. Et n'oublie pas : les graines, comme les enchanteurs, peuvent transformer le monde. Mais seulement dans la mesure où le porteur de ces graines s'est lui-même transformé. Et il y a encore une chose que tu devrais savoir, a-t-il ajouté en fronçant les sourcils.

Il a penché la tête vers moi et, tout bas, presque dans un murmure, il m'a confié :

— Malgré toutes ses manigances, Nimue ignorait que les événements prendraient une telle tournure. Nous nous sommes rencontrés, toi et moi ! Et grâce à cette rencontre, nous sommes prévenus.

— Je ne comprends pas.

Il s'est humidifié les lèvres avant de m'expliquer.

— Tu as une très longue vie devant toi, mon garçon. Même sans prendre en compte les années que tu ajouteras quand tu apprendras à voyager à travers le temps. Cela te donne la seule arme capable de triompher de Nimue... de n'importe quel sortilège, si puissant soit-il. C'est une arme qui dissout tous les nœuds, détruit tous les monuments, brûle tous les royaumes... ou en bâtit un nouveau à partir des cendres.

J'ai regardé la hache d'armes qui étincelait contre le mur dans la lumière changeante.

— De quelle arme parlez-vous ?

— Du temps, a-t-il répondu, puis il a tapé le tronc sous lui. Le temps te donne — *nous* donne — une chance. Rien de plus, mais rien de moins. Mon destin, vois-tu, n'est pas forcément le tien ! Tu as toujours la liberté de choix, comme je l'ai eue. Mais, maintenant, tu sais des choses que j'ignorais. Alors, peut-être — je dis bien : peut-être — que tu feras des choix plus sages que moi, le moment venu, et que tu éviteras les pièges de Nimue, si séduisants soient-ils.

Ces paroles me redonnaient une lueur d'espoir. J'ai pris la main qu'il me tendait. Mes doigts, lisses et ronds, ont serré les siens, tout ridés. Nos mains étaient très différentes, et pourtant très semblables. Je sentais à la fois la passion et les doutes de la jeunesse, mêlés à la profonde sagesse et aux doutes différents de la vieillesse. Je sentais aussi le poids de la tragédie et la douleur des pertes qui m'attendaient.

Il y avait autre chose encore, me semblait-il, dans cette poignée de main : une chance à saisir. Infime, mais réelle.

La main du mage s'est soudain resserrée. Il a brusquement redressé la tête et s'est immobilisé, comme pour écouter une voix au loin. Finalement, il a lâché ma main.

— Il est temps pour toi de partir, hélas, a-t-il dit, l'air soucieux.

— Que se passe-t-il ?

— Hallia, a-t-il murmuré. Elle est en danger. En grand danger, a-t-il répété en frottant sa tempe et en grimaçant de douleur.

Je me suis levé d'un bond.

— Renvoyez-moi là-bas, alors.

— Je vais essayer, a-t-il répondu en descendant de son perchoir. Mais ce n'est pas si simple que ça. Pour réussir, j'aurai besoin de ton aide. Car pour arriver à temps, tu dois retourner dans les brumes du Miroir, et faire face à je ne sais quelles rencontres.

J'étais comme pétrifié.

— Je... je ne peux pas retourner là-bas. Ces visages... vous ne savez pas comment ils sont.

— Oh si, je le sais.

Il a fait un signe à mon bâton qui est venu se planter à côté de moi. Je l'ai saisi d'une main hésitante. Simultanément, mon ombre a tendu la main vers l'ombre du bâton, puis a semblé changer d'avis et s'est retirée.

— Ces visages ne seront pas moins effrayants cette fois-ci. Peut-être plus. Toi seul peux trouver ton chemin pour passer au travers. Toi seul.

Il m'a fixé des yeux avant d'ajouter :

— Ce n'est pas insurmontable pour toi…
enfin pour *nous*, mon garçon.

— Je préfère *nous*, ai-je répondu, la gorge
nouée.

Il a serré dans sa main l'extrémité noueuse
de mon bâton.

— Il en sera toujours ainsi.

— Toujours, ai-je répété.

— Souviens-toi de la graine, à présent, a-t-il
ajouté en donnant une chiquenaude à ma sacoche.

— Soyez tranquille.

— Et concernant ces rumeurs à propos des
ailes perdues…

— Oui?

— On ne sait jamais, avec ces stupides
rumeurs. Il y a tant de conjectures, hein, quoi?

J'ai serré les dents.

— Vous ne pouvez vraiment rien me dire,
vous êtes sûr?

— Non, mon garçon. De même que toi, tu
n'as rien dit à Arthur concernant son épée. Il
découvrira tout ça bien assez tôt, et comme
il convient. Et toi de même, a-t-il ajouté avec un
petit grognement qui ressemblait à un rire.

— Mais vous ne pouvez pas…

— Je ne peux pas quoi?

— Me laisser dans l'incertitude!

— À propos de quoi ? a-t-il demandé d'un air innocent.

Je lui ai jeté un regard noir. D'un grand geste du bras en direction des restes du festin, il a fait disparaître table, vaisselle, nourriture et tout le reste, tandis que l'oie, privée de son support, tombait par terre en jurant. Arthur s'en est mieux tiré : il a simplement mordu dans le vide, à l'endroit où, juste avant, il y avait une prune juteuse. Enjambant l'oie, il est venu vers nous, le visage satisfait. Il a admiré le hêtre et caressé ses racines au passage, avant de nous rejoindre. Puis, me voyant le bâton à la main, il a essuyé un peu de jus de prune sur son menton et m'a demandé :

— Tu t'en vas ?

— Oui, je dois porter secours à Hallia.

— Alors, je t'accompagne, a-t-il dit d'un ton résolu.

— Non, non, ai-je répondu, la main posée sur son épaule. Ta tâche est ici.

Je l'ai observé un moment avant de dire :

— Et cette tâche, j'en suis certain, amènera beaucoup de moments de grandeur.

Il a serré la mâchoire.

— Est-ce que je te reverrai un jour, jeune faucon ?

J'ai secoué la tête.

— Pas avant très, très longtemps. De mon propre point de vue. Du vôtre, ai-je ajouté, m'adressant à son maître, c'est déjà fait.

Le garçon a souri. La lumière jouait sur ses boucles blondes.

— Oui, en effet. Nous ne nous sommes pas vus longtemps, mais je suis très content de t'avoir rencontré, a-t-il déclaré.

J'ai saisi la main qu'il me tendait.

— Oui, mon ami. Moi aussi. Prends soin de lui, désormais, qu'il le mérite ou non, ai-je dit en désignant le vieux mage qui nous observait.

Bien qu'un peu étonné, le garçon a hoché la tête.

— Je m'occuperai bien de lui, je te le promets.

Tout à coup, une brume épaisse a commencé à tourner autour de moi et a rapidement voilé les murs et le plafond. J'ai regardé les derniers scintillements des cristaux, sachant que je ne les reverrais pas avant plusieurs siècles. Aussitôt après, le hêtre a disparu, suivi d'Arthur. Bientôt il n'est plus resté qu'une silhouette sombre et floue : celle du vieil enchanteur. Il a levé la main, m'a fait de grands signes à travers la brume et le temps, puis, brusquement, il s'est évanoui.

## ∾ XXV ∾
# DES TUNNELS

J'étais debout, raide comme un piquet au milieu d'une mer houleuse — une mer de brume. Les nuages, de plus en plus sombres, se rapprochaient. J'ai même cru un instant qu'ils allaient m'étouffer. Pourtant, je ne sais comment, j'ai continué à respirer. Et à observer avec une inquiétude grandissante ces flots étranges qui ne cessaient de s'agiter autour de moi.

Comme précédemment, les tourbillons de vapeur formaient des motifs complexes, des mondes à l'intérieur d'autres mondes, qui s'étendaient à l'infini dans toutes les directions. Mais contrairement à ce que j'avais vu avant, ces motifs ne ressemblaient à rien. Non seulement ils ne m'évoquaient aucun lieu familier, mais il n'émergeait des plis de cette brume ni vallées, ni forêts, ni villages. Rien qui puisse faire remonter de ma mémoire la moindre ébauche d'anciennes peurs ou de rêves enfouis. Je ne retrouvais aucune forme, aucune sensation connue.

Seulement de la brume.

Et mon angoisse, qui enflait comme un nuage à l'intérieur de moi. J'avais peur pour Hallia. Elle était en danger, et je ne savais pas pourquoi. Arriverais-je à temps ? Et si oui, pourrais-je lui porter secours ? J'avais peur pour moi aussi, mais cette peur, comme la brume, je ne la reconnaissais pas. Mon ombre elle-même, recroquevillée à mes pieds, semblait tétanisée.

Au bout d'un moment, les nuages ont commencé à dessiner des motifs d'un genre différent. J'ai vu avec terreur un cercle se former en face de moi, un trou, qui se creusait, s'enfonçait loin dans l'obscurité. Un nouveau trou est apparu sur ma gauche, un autre, identique, au-dessus de ma tête, puis deux encore à droite et plusieurs devant moi. En quelques instants, je me suis trouvé entouré d'une multitude de cavités obscures, de tunnels dont je ne voyais pas la fin.

Tout à coup, quelque chose a bougé à l'intérieur d'un de ces tunnels. Une forme indistincte aux contours lumineux s'est détachée lentement. Un visage. *Mon* visage ! Avec ses yeux plus noirs que le tunnel lui-même, ses cheveux en bataille, ses cicatrices sur la joue et le front. Ce visage, parfaite reproduction du mien, me fixait intensément.

Puis, au fond d'autres tunnels, d'autres visages sont apparus l'un après l'autre, et tous me regardaient, tous ils attendaient, semblait-il, que quelque chose se passe. Tous ces visages étaient le mien. De tous les côtés, au-dessus de moi, en dessous, je voyais des images de moi. Toutes identiques, elles me faisaient face en silence. À présent, ce n'était plus un océan de brume que je contemplais, mais un cristal aux multiples facettes, dont chacune était un miroir qui me renvoyait ma propre image.

Soudain, un des visages a parlé, avec ma propre voix :

— Viens, jeune enchanteur. Entre dans mon tunnel, car c'est le seul qui te ramènera chez toi.

Avant que j'aie pu répondre, un autre m'a appelé, au-dessus :

— Tu n'es pas un enchanteur, mais un bon fils. Il est ici, le chemin que tu cherches ! N'es-tu pas le courageux garçon qui a sauvé la vie de sa mère sur un rivage rocheux, il y a de nombreuses années ? Viens, suis-moi tant qu'il est encore temps.

— Ne les écoute pas ! Je sais qui tu es vraiment : pas un enchanteur, ni un fils, mais un esprit de la nature, frère des cours d'eau, du ciel, des champs et des forêts. Viens avec moi, maintenant. Chez toi, c'est par ici !

— Dis-moi la vérité, a raillé un autre. Tu as aspiré à toutes ces choses, mais tu as toujours échoué et, au fond de toi, tu sais que ça ne changera pas. Tes faiblesses gâcheront toujours tes meilleures intentions. N'est-ce pas que j'ai raison ?

J'ai hoché la tête à regret.

— Alors, tu dois me suivre. Seul le vrai chemin te conduira chez toi. Dépêche-toi, tant qu'il en est encore temps !

— Non, a protesté le visage qui avait parlé en premier. Tu es un enchanteur. Tu seras même un *grand* enchanteur. Tu le sais, aujourd'hui ! Viens par ici.

— Mais en profondeur, a répliqué le précédent, tu n'en restes pas moins un incapable. Écoute la vérité en toi ! Ne te laisse pas berner par ta propre vanité, ne prends pas tes désirs pour des réalités.

De nouveaux visages m'ont interpellé, tous avec ma voix. L'un voyait en moi un guérisseur, un réparateur de muscles déchirés, de chairs mutilées ; un autre vantait mes exploits d'explorateur, d'aventurier solitaire, capable de construire un radeau avec du bois flotté et de trouver une voie inconnue pour gagner Fincayra ; pour un autre encore, j'étais le sauveur de gens en détresse. Et le chœur continuait, de plus en plus fort, à me marteler les oreilles : tantôt j'étais un semeur de graines ou un spécialiste des langues, tantôt un jeune homme passionné qui rêvait de passer des jours entiers auprès d'Hallia, ou bien un illusionniste, passé maître dans l'art de surprendre... Je ne sais quoi encore.

À force de les écouter, tout se brouillait dans ma tête. Je sentais que si j'avais une chance de sauver Hallia, elle s'amenuisait très vite et que je devais rapidement décider quel tunnel j'allais prendre.

Pour comble de malheur, les tunnels eux-mêmes ont commencé à bouger, à glisser vers le haut, vers le bas, sur le côté, ou à danser de manière désordonnée. Pendant ce temps, les mouvements des visages s'accéléraient ; ils suppliaient, cajolaient, insistaient de plus belle. J'avais peine à suivre ce que disait chacun d'eux et encore plus à faire mon choix.

Au milieu de cette cacophonie croissante, j'ai entendu une autre voix, venue du fond de ma mémoire : celle du vieux mage, la mienne. *Toi seul peux trouver le chemin*, avait-il dit. *Toi seul.* Mais quel chemin ? Et quel moi ?

Les visages dansaient furieusement. La plupart d'entre eux n'étaient qu'un mélange confus de mouvement et de son. *Tu pourrais simplement commencer par être*, avait dit le vieux mage. Mais être quoi ? Je réfléchissais à toute vitesse. Qu'espérait-il par-dessus tout transmettre au jeune Arthur ? *Trouve-toi toi-même*, avait-il dit. Oui... et aussi : *Trouve ta véritable image, et tu accéderas au bien suprême, au grand pouvoir qui insuffle la vie dans toute chose.*

Moi-même. Ma véritable image. Mais laquelle était la vraie parmi toutes celles qui m'assaillaient ? Peut-être certaines — ou toutes — étaient-elles vraies en partie... mais laquelle était le bon choix ? Le bon reflet ?

Les tunnels et les visages ont commencé à s'estomper, à se fondre dans les volutes de brume. Les cris, bien que plus aigus, se sont atténués lentement. Certains de ces visages devenaient à peine audibles, d'autres l'étaient encore mais, à cause des brumes qui gagnaient du terrain, je ne les voyais presque plus. Puis, en quelques secondes, ils ont tous disparu.

*Le bon reflet.* Qu'est-ce que c'était, d'ailleurs, un reflet ? Une image, une forme qui m'était renvoyée. Mais ce visage là-bas, était-ce le mien... ou était-ce quelque chose d'autre, d'autre que moi ? Le propre des miroirs, après tout, n'était pas de montrer la vraie forme, le vrai moi. Pas plus que mon ombre, rétrécie et désobéissante, n'était le vrai moi, aucune image réfléchie ne pouvait être mon vrai moi.

Et cependant... mon ombre était différente, au moins d'un certain point de vue. Elle était, pour le meilleur et pour le pire, liée à moi, exactement comme l'ombre du vieux mage était liée à lui. Contrairement à mon reflet, qui s'évanouit si on enlève le miroir, mon ombre faisait partie de mon être, c'était une compagne de toujours. Oui, même si j'avais du mal à l'admettre, mon ombre m'appartenait et réciproquement.

Soudain, j'ai compris. Le miroir que je devais trouver, le visage que je devais voir, n'était pas l'un de ces reflets qui m'entouraient. Il n'était pas en dehors de moi mais quelque part à l'intérieur de moi, dans le marécage le plus profond, la partie la plus sombre de mon être. Un lieu où la lumière du jour n'entrait jamais, où corps et ombre ne faisaient plus qu'un.

Les visages et leurs voix ont soudain disparu. Une vague de brume m'a englouti et entraîné loin, loin, dans un nouveau tunnel. Emporté dans les plis de la brume, je tombais, impuissant à arrêter ma chute. Tandis que l'air s'assombrissait autour de moi, je savais seulement que mon choix était fait, et que mon ombre tombait avec moi.

# ~ XXVI ~

## UNE ÉPREUVE
## DE LOYAUTÉ

L'obscurité s'est épaissie. Froide, oppressante, elle m'enserrait de tous les côtés. Mes os, mes veines étaient au supplice. Brusquement, la pression s'est relâchée. La lumière est revenue. Quelque chose a volé en éclats, puis j'ai entendu un claquement près de ma tête ; juste après, une lance de bois a rebondi contre le pilier derrière moi, et sa hampe m'a frappé à la tempe. Étourdi, j'ai trébuché et failli tomber à plat ventre dans une flaque puante.

J'étais revenu dans les marais ! En me frottant la tête, j'ai jeté un coup d'œil vers l'arche de pierre et le Miroir. Des nuages de brume tourbillonnaient toujours sur sa surface mouvante, comme ils le faisaient depuis des siècles.

— Hallia ! ai-je appelé. Où...

Avant que j'aie compris ce qui se passait, une main à trois doigts m'a saisi à la gorge et précipité vers l'arrière dans le bourbier. L'eau croupissante a giclé dans toutes les directions.

Je me suis retourné, j'ai levé la tête, et j'ai vu mon agresseur : une silhouette musclée, un casque pointu, deux petits yeux fendus et brillants, un plastron sur la poitrine, une peau gris-vert dégoulinante de sueur... Un guerrier gobelin ! D'où venait-il, celui-là ? Ceux qui avaient survécu à l'effondrement du château des Ténèbres vivaient cachés, à présent, dans les coins les plus reculés de l'île. Ils ne se montraient pas. À moins que quelqu'un ait offert de les protéger en échange de leurs services. Quelqu'un de très malveillant.

— Tiens, prends encore ça ! a-t-il lancé d'une voix râpeuse.

Joignant le geste à la parole, il m'a envoyé un coup de pied dans les côtes et a levé son cimeterre.

La main sur ma blessure, je ne pouvais tirer mon épée. Sa lame est retombée. Je l'ai évitée de justesse en roulant sur moi-même et elle s'est enfoncée dans la boue. Sans laisser au gobelin le temps de la relever, j'ai attrapé mon bâton par la base et l'ai balancé à toute volée. L'extrémité noueuse l'a frappé à la tête, faisant sauter son casque. Il a rugi et s'est écroulé au milieu des herbes, inanimé.

Hébété, je me suis remis debout avec peine, la main appuyée contre mes côtes endolories.

Soudain, j'ai senti une odeur d'une douceur entêtante, presque agressive. J'ai frissonné, comme si un redoutable étau se refermait sur moi. Je l'avais reconnue, cette odeur : c'était celle des roses.

— Tiens, tiens! Tu as enfin décidé de te montrer.

Le ton glacé de Nimue était encore plus dur à supporter que le coup de pied du gobelin.

— Où es-tu? ai-je crié en direction des brumes qui entouraient l'arche. Où est Hallia?

La voix désincarnée a poursuivi :

— Tu m'as fait très peur, jeune enchanteur. J'allais finir par croire que tu avais vraiment suivi ce stupide petit serviteur dans le Miroir.

J'ai failli répondre, mais je me suis retenu.

— Tu aurais considérablement abrégé ta vie, hum? Et ce faisant, tu m'aurais privée du plaisir de le faire moi-même.

Elle a émis un grognement long et grave.

— Un jour, ce Miroir sentira aussi ma colère! Même si j'ai survécu à mon propre voyage à travers ses corridors de brume en venant ici, je sens encore les cicatrices. Et je n'ai pas du tout envie de les rouvrir... jusqu'à ce que les pouvoirs que tu m'as ravis si durement me soient rendus. Et renforcés! J'ai donc décidé de séjourner quelque temps sur votre charmante petite île pour rassembler mes forces, et également quelques précieuses babioles… telles que ton bâton, par exemple, hum ?

Je scrutais les vapeurs, mon bâton bien serré dans ma main.

Nimue gloussait tout bas.

— Mais tout ça n'a rien à voir. Le fait est que j'adore résoudre les problèmes. Surtout plusieurs siècles en avance. Alors je crois que je vais m'occuper de toi, petit enchanteur. Ici et maintenant.

Là-dessus, elle est apparue devant moi. Sa robe blanche, immaculée comme toujours, flottait autour d'elle, tandis que ses yeux ternes m'examinaient minutieusement. Elle était encadrée de huit ou neuf guerriers gobelins et, à ses pieds, gisait la silhouette immobile d'une jeune femme.

— Hallia ! me suis-je écrié. Qu'est-ce que tu lui as fait ?

Nimue a avancé les lèvres, imitant un baiser.

— Toujours le cœur tendre, à ce que je vois. Ne t'inquiète pas, elle est vivante. Pour l'instant, du moins. J'attendais que tu sois là pour assister à son agonie.

Elle a fait signe au gobelin le plus proche.

— Tranche-lui la tête, hum ? Je veux une vilaine coupure, pas une belle entaille bien nette.

— Non !

Le gobelin, avec un rire rauque, a saisi son cimeterre à deux mains. Ses bras musclés se sont pliés. D'un mouvement brusque, il a levé la lame au-dessus de sa tête. Puis, il l'a abaissée de toutes ses forces.

À l'instant même, j'ai senti dans mes bras un nouveau pouvoir. J'ignorais ce que c'était et d'où il venait, mais il m'a traversé à la vitesse d'un faucon en piqué, semblant jaillir de toutes les parties de mon corps et de mon âme. Sans réfléchir, j'ai levé les bras, pointant l'un vers le guerrier gobelin et l'autre vers Nimue.

Un grésillement a fendu l'air. Des éclairs bleus ont jailli de mes doigts. Le premier a frappé le gobelin à la poitrine juste avant que son arme ne touche Hallia. Son plastron s'est déchiré en deux et, dans un éclat de lumière bleue, lui et son cimeterre ont volé en arrière. L'autre éclair qui visait la sorcière s'est arrêté net, bloqué par sa main. Pendant une fraction de seconde, elle l'a maintenu ainsi à distance. Puis, d'un petit mouvement de la paume, elle l'a renvoyé sur moi. Il m'est passé juste au-dessus de la tête au moment où je me baissais et a écorné un des deux piliers, réduisant en cendres les plantes qui grimpaient autour.

Nimue m'a regardé, à peine troublée.

— C'est tout ce que tu sais faire, gringalet ? Hum, quel dommage ! Tu n'auras pas le temps de t'améliorer.

Alors, fou de rage, je me suis précipité vers elle en brandissant mon bâton. Elle a soufflé une fois, une seule. Brutalement repoussé par une énorme masse d'air, j'ai été projeté à travers un fourré de ronces moussues et contre le tronc d'un saule mort, puis je me suis effondré dans le marécage sous une pluie de branches cassées.

Encore sonné, j'ai redressé la tête. Nimue a fait signe à deux guerriers gobelins et aboyé un ordre :

— Débarrassez-vous de la femme-cerf comme il vous plaira. Mais laissez-moi celui-ci, a-t-elle ajouté en s'avançant vers moi avec un petit sourire satisfait.

J'ai aperçu deux cimeterres qui se levaient, puis la tête de Nimue et ses longs cheveux noirs m'ont caché la vue. Elle s'est approchée de moi, triomphante. Je me suis arc-bouté contre l'arbre, en poussant de toutes mes forces sur mes jambes flageolantes. Mais mes bottes ont glissé et je suis retombé dans l'eau. La sorcière n'était plus qu'à quelques pas.

— Pauvre garçon, a-t-elle dit d'un ton mielleux. Permets-moi d'abréger ce moment si désagréable.

J'ai réussi à me mettre à genoux dans la boue. Une vase épaisse glissait le long de mon cou et de mes bras.

— Tu ne gagneras jamais, ai-je déclaré d'une voix encore ferme. Jamais.

Elle a plissé les yeux d'un air cruel. Lentement, elle a levé un bras, pointant sur ma poitrine son doigt légèrement recourbé.

— Ah, mon petit enchanteur, tu as tort, vraiment tort. J'ai déjà gagné.

Elle s'est mise à rire avant de dire :

— Et, comble de l'ironie, j'ai gagné en maîtrisant les sortilèges que tu m'as toi-même enseignés à un âge plus avancé. N'est-ce pas merveilleux, hum ?

Elle a dressé le doigt.

— Ton heure est...

À cet instant précis, une énorme masse tombée du ciel a atterri juste derrière elle, provoquant un jaillissement de boue et de débris. Nimue s'est écroulée sur moi en criant et nous avons disparu tous les deux sous une vague d'eau stagnante.

Quand j'ai sorti la tête du bourbier, j'ai aperçu la sorcière dégoulinante de vase qui tentait de s'en extraire en jurant tant et plus. Et puis j'ai vu la gigantesque tête au-dessus de nous : un œil triangulaire, orange et brillant qui me regardait, les écailles pourpres de la gueule, et la longue oreille bleue, dressée comme une bannière au vent...

— Gwynnia !

J'ai passé mon bras autour de son nez et appuyé ma tête contre la sienne. Puis je lui ai montré les guerriers gobelins, dont plusieurs étaient étalés par terre.

— Va chercher Hallia, là-bas !

Elle s'est retournée en poussant un grognement tonitruant. Sa queue a claqué comme un fouet, fauchant un gobelin près d'Hallia, l'expédiant droit dans le Miroir, dont la surface est devenue d'un seul coup noire et brillante, avant de l'engloutir à jamais comme un trou sans fond. Puis, des volutes ont recommencé à tourner sous sa surface.

Gwynnia a tendu son cou dégingandé vers son amie, toujours inerte sur le sol, et lui a donné des petits coups de museau en gémissant, tandis que ses ailes battaient nerveusement contre son dos. Mais Hallia ne bougeait pas, n'émettait aucun son.

Je suis sorti de la flaque d'un pas chancelant et, en ramassant mon bâton, j'ai jeté un coup d'œil du côté de Nimue. Elle tirait sur ses cheveux pour en arracher des paquets de boue et de débris — et des mèches par la même occasion. Lorsqu'elle m'a vu, elle s'est mise à hurler et à agiter le bras. Une boule de feu, comme de la lave fondue, est apparue dans sa main. Au cri de *Meurs par le feu, enchanteur prétentieux!* elle l'a lancée vers moi.

Mes cicatrices me brûlaient tandis que la boule de feu s'approchait rapidement. J'ai eu juste le temps de lever mon bâton et de faire appel à tous mes pouvoirs pour me protéger. Au moment de l'impact, des éclairs ont jailli de la tête du bâton et dévié la boule vers un monticule de tourbe. La tourbe a pris feu, et tous les roseaux, mousses et vieilles racines ont disparu dans un grand mur de flammes.

Gwynnia, désespéré par l'immobilité d'Hallia, a mugi d'angoisse. Doucement, elle lui a léché la figure de sa langue aussi mince que ses griffes et d'un violet foncé. Le bras d'Hallia a bougé un peu avant de retomber. Avait-il bougé tout seul? Je ne pouvais le dire.

— Guerriers! a crié Nimue, tout en sortant du marécage et en tirant toujours sur ses cheveux emmêlés. Allez-y, tuez-les tous!

Avec des rugissements furieux, les gobelins nous sont tombés dessus. Armés de lances, de cimeterres et de haches, plusieurs ont foncé sur Gwynnia et deux autres se sont jetés sur moi. Alors que j'essayais de me rapprocher d'Hallia, j'ai eu toutes les peines du monde à rester hors de portée de leurs lames meurtrières. D'un côté, je voyais Gwynnia qui donnait de grands coups de queue pour protéger notre amie des assaillants, de l'autre, Nimue qui s'apprêtait à lancer contre moi une nouvelle boule de feu.

Les épées fendaient l'air juste au-dessus de ma tête ; les lances s'enfonçaient dans la boue à côté de mes bottes. Acculé contre un pilier de l'arche, j'ai songé à plonger dans les brumes pour échapper à la mort, mais je ne pouvais pas abandonner Hallia. Tandis que le rire de Nimue s'élevait au-dessus du vacarme, je me suis trouvé face à un énorme guerrier gobelin portant un brassard rouge. Avec un grognement rageur, il a brandi ses deux haches et visé ma tête.

Au lieu de me baisser pour éviter le coup, j'ai fait la chose à laquelle il s'attendait le moins : prenant appui avec le pied contre le pilier, je me suis propulsé en avant pour lui sauter dessus. Ma poitrine a heurté son épaule, faisant tomber une plaque de sa cuirasse. L'une de ses haches a cogné contre le pilier d'où ont jailli des étincelles et la deuxième s'est enfoncée dans le dos d'un autre guerrier. Emporté par mon élan, j'ai roulé dans les hautes herbes.

Je me suis retrouvé, tout étourdi, presque sous la queue du dragon. J'ai vu passer au-dessus de moi l'ombre de son extrémité hérissée de pointes au moment où elle allait frapper un de nos agresseurs, mais je n'ai pas suivi le reste du combat. Toute mon attention s'est portée sur le corps inerte qui gisait non loin de moi. J'ai rampé jusqu'à Hallia et lui ai soulevé la tête.

— Hallia...

Elle a entrouvert les paupières. J'ai senti mon cœur bondir de joie en revoyant ses yeux bruns et la petite flamme qui s'était rallumée à l'intérieur — une flamme encore vacillante. Quelques secondes plus tard, ils se sont refermés. J'ai essayé de lui insuffler toute la force que je pouvais trouver en moi, à travers mes bras, mes mains.

*Coule, mon pouvoir! Ramène-la-moi!*

J'ai attendu qu'elle bouge, qu'elle inspire une fois, même faiblement, mais rien ne s'est passé. Avec l'énergie du désespoir, je l'ai secouée par les épaules. Toujours rien. Aucune réaction.

Soudain, elle a frémi, haleté, ses yeux se sont rouverts.

— Jeune faucon, a-t-elle dit d'une voix rauque. Tu es revenu.

Alors que je commençais à répondre, la voix de Nimue a fait trembler le marais.

— Mourez, vous tous!

Hallia a vu la sorcière viser avec sa boule de feu. Elle m'a agrippé le bras. Au même instant, j'ai aperçu l'expression horrifiée de Gwynnia.

Encerclée par les guerriers gobelins, elle n'arrivait plus à les tenir à distance, et ils se rapprochaient rapidement. Leurs armes martelaient les écailles de son dos, cherchaient à atteindre ses yeux, lui piquaient le ventre. Quelques secondes de plus, et elle tomberait.

Nimue a déplié son bras. La boule de feu a volé vers nous. Cette fois, je n'avais pas mon bâton pour parer le coup. Alors, je me suis mis devant Hallia pour la protéger.

Brusquement, un objet a jailli des vapeurs et fendu l'air en laissant une fine traînée noire derrière lui. Lorsqu'il est entré en collision avec la boule de feu, juste sous nos yeux, il s'est produit un *vlouf...* et la boule de feu s'est volatilisée.

Nimue est restée bouche bée. Ses guerriers gobelins, eux aussi, ont senti que quelque chose n'allait pas. Ils brandissaient toujours leurs armes, mais hésitaient, échangeant des regards inquiets. Deux d'entre eux se sont éloignés du dragon. C'est alors que des dizaines de silhouettes ont surgi des marais environnants et nous ont encerclés.

Les goules ! La plupart n'étaient que de vagues ombres ou des yeux tremblotants qui flottaient dans les brumes, mais très reconnaissables. Beaucoup tenaient de gros arcs avec des flèches noires prêtes à partir. Des flèches qui pouvaient transpercer le jour.

L'énorme gobelin au brassard rouge a grogné méchamment et s'est avancé vers les goules en faisant des moulinets avec sa hache. Aussitôt, trois flèches suivies de leur ruban sombre se sont plantées dans sa poitrine. Il est tombé raide, à plat ventre dans la boue.

Tremblante de rage, Nimue s'est dirigée vers la ligne de tireuses. De nouvelles flèches se sont pointées sur elle. Elle s'est immobilisée. Ses yeux noirs lançaient des éclairs, mais, retenant sa colère, elle a resserré son châle autour de ses épaules et déclaré avec une jovialité forcée :

— Allons, allons, mes amies, vous ne songez tout de même pas à me faire du mal ?

Pour toute réponse, les goules ont bandé leurs arcs. Le visage de Nimue, déjà pâle par nature, a encore blêmi. Après un moment tendu, elle s'est de nouveau adressée à elles, cette fois sans jouer la comédie de l'alliance.

— Croyez-vous vraiment que je me laisse battre si facilement ? a-t-elle fulminé, les poings serrés. Vous paierez pour cette traîtrise, je vous le garantis. Par des années et des années de souffrances ! Attendez seulement que j'aie récupéré tous mes pouvoirs ! Les chaînes que vous portiez vous paraîtront légères comparées aux tourments que je vous infligerai.

Quelques goules semblèrent hésiter. Deux ou trois abaissèrent leur arc, mais les autres restèrent en position d'attaque face à la sorcière. Ce que personne n'avait remarqué, c'est que pendant cette diatribe, elle avait lentement levé la main et la pointait vers Hallia et moi. Tout à coup, j'ai vu briller une lueur rouge à l'extrémité de son doigt.

— Attention ! ai-je crié. Elle va nous attaquer !

— Trop tard, avorton, a-t-elle lancé par-dessus son épaule, toujours face aux goules. Maintenant, mes anciennes alliées, nous allons éprouver votre loyauté, n'est-ce pas, hum ? Écoutez bien mes conditions, car je ne les proposerai qu'une fois : déposez vos armes immédiatement, et je ne vous ferai aucun mal. Vous avez ma parole. Mon seul prix sera la vie de ces deux imbéciles qui m'ont fait tant de tort.

Elle a marqué une pause, le temps que ses paroles soient bien enregistrées.

— Ou bien, dans votre entêtement, vous pouvez choisir de m'attaquer. Toutefois, je vous préviens : si vous le faites, j'aurai juste le temps, avant que vos flèches ne me touchent, d'envoyer un jet de flammes sur votre ami l'enchanteur et sa demoiselle.

Le bout de ses doigts a semblé s'enflammé, grésillant l'air.

— Je n'aurai peut-être pas la chance de les tuer tous les deux. Mais l'un d'eux au moins mourra, je vous le promets.

Tandis qu'Hallia et moi attendions, immobiles, un murmure s'est élevé parmi les goules. Je cherchais désespérément dans ma tête une solution pour nous sortir de là, mais au moindre mouvement, Nimue donnerait libre cours à sa fureur et nous pulvériserait. Je devinais que Gwynnia aussi en était arrivée à cette terrible conclusion. Je voyais dans son regard qu'elle était au supplice, mais elle ne bougeait pas, les ailes plaquées contre son dos.

Les goules ont fini par se taire. Leurs yeux lumineux brillaient à travers les filets de brume qui s'entrelaçaient autour de leurs formes mouvantes. J'étais sûr que la sorcière, tout comme moi, s'attendait à ce qu'elles choisissent de battre en retraite, mais elles ne bougeaient pas. Clairement, elles avaient décidé de mettre à l'épreuve sa détermination… et d'essayer de nous sauver la vie en même temps.

Nimue a grimacé. Son doigt a grésillé de plus belle, et un filet de fumée s'en est échappé. J'ai serré fort la main d'Hallia, cherchant toujours un moyen de nous sauver.

Un léger mouvement à côté de moi a attiré mon attention. Mon ombre! Aussitôt, je lui ai ordonné en secret :

*Écoute-moi, maintenant, même si c'est la dernière fois! Vas-y, arrête-la si tu peux.*

L'ombre a paru hésiter. Elle s'est recroquevillée tant qu'elle a pu, puis, comme un loup bondissant, elle m'a quitté pour se jeter sur la sorcière et lui foncer droit dans le ventre.

Nimue a poussé un hurlement. Alors qu'elle reculait en titubant, le jet de flammes a jailli de son doigt et s'est répandu sur les vapeurs du marécage au-dessus de sa tête sans causer de dommage. Pour ne pas lui laisser le temps de se ressaisir, j'ai bondi à mon tour et me suis jeté sur elle de toutes mes forces. En tombant, elle a heurté un des piliers de pierre. Aussitôt, des doigts de brume ont émergé de la surface du Miroir, essayant de l'attraper. Tout en chancelant, elle leur a donné une tape et la surface est brusquement devenue une plaque sombre. Pendant un bref instant, agitant les bras pour garder l'équilibre, elle a fixé son reflet et quelque chose d'autre plus loin.

— Non! a-t-elle crié.

Et elle a basculé dans le Miroir. Tandis qu'elle disparaissait dans ses profondeurs, son dernier cri s'est perdu dans le bruit de verre brisé, puis le silence est revenu.

Pendant un long moment, personne n'a bougé, le temps que son parfum s'évapore. Puis, soudain, notre joie a explosé : celle d'Hallia et la mienne, d'abord, puis celle de Gwynnia, qui a fait gicler de la boue de tous côtés en martelant le sol de sa queue. Les goules, quant à elles, ont célébré l'événement par de sinistres gémissements.

Quand les cris, enfin, se sont tus, les derniers guerriers gobelins ont déposé leurs armes. Lentement, très lentement, le cercle des goules s'est ouvert. D'abord hésitants, les gobelins se sont avancés vers la sortie, puis, en courant, ils se sont éparpillés dans les marais.

Les goules sont restées encore quelques secondes, toujours silencieuses, avant de se fondre dans les brumes et de disparaître à leur tour. Seules restaient les traînées vides de leurs flèches, comme des gribouillages dans l'air, près de l'antique arche de pierre.

J'ai serré Hallia contre moi. Le marécage semblait étrangement calme. Ensemble, nous avons écouté notre respiration et celle de

Gwynnia. Nous avions peine à croire que nous étions encore vivants.

Puis, au milieu de ce calme inhabituel, un nouveau son s'est fait entendre non loin de nous. Il n'a duré qu'une ou deux secondes, mais cela ressemblait à une voix. Un peu comme le miaulement satisfait d'un chat.

# LEUR HISTOIRE

Pendant que j'étais assis par terre, à côté d'Hallia, les vapeurs du marais nous ont encerclés, à la manière des goules, un peu plus tôt. Soudain, j'ai senti quelque chose qui me poussait dans le dos. Je me suis retourné : c'était Gwynnia.

Hallia a tendu la main pour caresser son énorme museau.

— Bravo, mon amie. Même si tu ne sais pas encore souffler du feu, tu t'es battue comme un vrai dragon. Oui, celle dont tu portes le nom, mère de tous ceux de ta race, aurait été fière de toi.

Gwynnia, presque gênée, a secoué la tête, ce qui a fait reluire les écailles sous ses yeux comme des améthystes. Cela a aussi fait en sorte que son oreille a frotté son épaule et nous a aspergés de boue. En riant, Hallia en a retiré une poignée de son menton et me l'a lancée. Je l'ai reçue en plein sur la tempe.

— Ça, a-t-elle déclaré, c'est pour ton retard.

Sans me laisser le temps de protester, elle a attiré mon visage vers le sien. Ses yeux de biche m'ont observé un instant, puis elle m'a planté un baiser sur les lèvres.

— Et ça, c'est pour être revenu me chercher.

J'en suis resté pantois.

— Tu... enfin, je... euh... c'est...

— Voilà, a-t-elle conclu. Tu te souviens que je voulais te dire quelque chose ? Eh bien, maintenant, c'est fait.

Cette fois, je suis resté muet, et j'ai souri.

Soudain songeuse, elle a laissé errer son regard sur le marécage. Promenant ses doigts le long du sol, elle a effleuré les cendres éparpillées dans la boue : tout ce qui restait de la boule de feu de Nimue.

— Je savais que tu finirais par venir à mon secours, jeune faucon. Mais les goules, je ne m'y attendais pas.

— Nimue non plus.

— Jamais je ne les aurais crues capables de faire quoi que ce soit pour les autres créatures.

Elle a commencé à démêler ses cheveux à l'aide de ses doigts.

— En tout-cas pour les hommes et les femmes, a-t-elle repris. Même ceux de mon clan, pourtant connus pour leur indulgence, ne sont pas tendres envers les goules des marais. Toutes nos histoires où elles figurent, absolument toutes, finissent dans la terreur.

Hallia a cessé de peigner ses cheveux couverts de boue et elle m'a regardé pensivement.

— Après tout, tu as peut-être fait ce qu'il fallait avec la clé de mon père. Ça pourrait avoir des effets salutaires plus tard. Même sur les goules.

— Peut-être, ai-je répondu. Comment le savoir ?

Je me suis tourné vers le Miroir. Derrière mon reflet mouvant, des nuages s'enroulaient, tourbillonnaient, se figeaient, dessinant des quantités de formes, de chemins. Petit à petit, ma propre image a disparu, remplacée par un autre visage, bien différent du mien : celui d'un homme dont la longue barbe se fondait dans la brume ; un visage très vieux, très sage, empreint de tristesse, d'angoisse, de siècles de nostalgie… avec, toutefois, une lueur d'espoir. Pendant un bref instant, j'ai eu l'impression qu'il me regardait. Puis, comme un nuage poussé par le vent, il s'est effacé.

J'ai enfoncé la main dans ma sacoche de cuir et touché une petite graine ronde qui semblait palpiter comme un cœur. Une graine qui, un jour peut-être, donnerait naissance à quelque chose de merveilleux à contempler.

— Il est possible que tu aies raison à propos des goules, ai-je repris. On raconte des tas de choses à leur sujet, et il en sera toujours ainsi. Mais elles ont encore le temps de raconter elles-mêmes leur histoire... avec leurs propres choix et leur propre fin.

Hallia a pointé son doigt vers l'arche.

— Me parleras-tu, un jour, de toutes les choses que tu as vues là-bas ?

— Pas de toutes, non. Mais d'une d'entre elles, la plus importante, ai-je dit en lui prenant la main. C'était un miroir. Un miroir qui n'a pas besoin de lumière.

À ces mots, son visage s'est illuminé.

— Et qu'as-tu vu dans ce miroir ?

— Oh, beaucoup de choses, entre autres un enchanteur. Oui, celui que je deviendrai un jour. Non pas parce que c'est mon destin, mais parce que, tout simplement, c'est *moi*.

J'ai souligné ces mots en me cognant le torse.

— Le même moi, fait de la même chair, du même sang que celui que tu vois ici.

Quelque chose a bougé sur le sol. J'ai baissé les yeux et aperçu mon ombre, qui semblait me regarder et secouait la tête avec conviction. Je m'apprêtais à lui faire les gros yeux, puis je me suis radouci et j'ai ajouté :

— Et aussi de la même ombre.

La silhouette sombre s'est tenue tranquille — du moins un petit moment.

Soudain, un bruit sourd venant d'un monticule de tourbe, juste à côté, a attiré notre attention. Puis un bruit de succion, et le tapis d'herbes qui recouvrait la flaque d'eau, au bord, s'est soulevé. Une tête est apparue, une face ronde avec des moustaches, qu'on aurait reconnue entre mille : notre ballymag.

Il allait nous dire quelque chose quand il a aperçu le dragon. Il nous a observés un long moment en tirant sur ses moustaches d'un air inquiet, puis d'un ton tout ce qu'il y a de plus bourru, il a lâché :

— Ces humainsales, encoretoujours besoin d'un débarbouillassage.

Les yeux d'Hallia rayonnaient comme la lumière liquide dans laquelle nous nous étions baignés chez lui.

— Ça, a-t-elle répondu, ce serait vraiment *mouellicieux*.

Ne manquez pas
le tome 5

# MERLIN

# LES AILES DE
# L'ENCHANTEUR

# T. A. BARRON

T. A. Barron a grandi dans un ranch du Colorado, aux États-Unis.

Dans une première vie, il a beaucoup voyagé à travers le monde. Il a voulu se mettre à l'écriture, mais n'a pas réussi à trouver d'éditeur pour son premier roman. Il s'est donc tourné vers le monde des affaires, où il a évolué avec succès… jusqu'en 1989, quand il a annoncé à ses associés qu'il retournait dans le Colorado pour devenir écrivain et s'engager dans la protection de l'environnement.

Depuis ce jour, T. A. Barron a écrit plus d'une vingtaine de livres, des romans pour petits et grands ainsi que des livres autour de sa passion, la nature. Il a remporté plusieurs prix, et l'American Library Association ainsi que l'International Reading Association l'ont distingué à diverses reprises.

En 2000, il a créé un prix récompensant chaque année vingt-cinq jeunes gens pour leur implication sociale ou environnementale : le

Gloria Barron Prize for Young Heroes. T. A. Barron poursuit ainsi sur de nombreux fronts son travail pour la préservation de l'environnement. Il a notamment contribué à la création du Princeton Environmental Institute de l'université de Princeton, et ses diverses actions ont été récompensées par The Wilderness Society.

Ses passe-temps favoris sont la randonnée, le camping et le ski, qu'il pratique en famille à chaque fois qu'il en a l'occasion.

Retrouvez-le sur son site (en anglais) :
www.tabarron.com